はじめに

明石市に泉房穂なるすごい政治家がいる、ということはずいぶん前から知っていた。昨夏、その泉さんが、『ＦＬＡＳＨ』（２０２３年8月22日・29日合併号）の記事でぼくのことを批判している、とある人が教えてくれた。

明石市長として少子化対策で実績を上げた泉さんに、少子化をテーマにした「朝まで生テレビ！」（23年7月28日深夜放送　テレビ朝日系）に出演していただいたが、記事にはその時の感想が書かれていた。

詳細 [illegible] もらうとして、要は、「朝生」がつまらなくなった、という。それも [illegible] ぼくが初心を失った、老いぼれた田原はそろそろ引退してはどうか [illegible]

ぼく [illegible] 実はその通りだと思った。泉さんはズバリ指摘してくれた。最近じゃ [illegible] して厳しいことは言ってこないから、実は嬉しかった。ただ、ぼくと [illegible] ことがあった。ジャーナリストとしてのぼくの思いも伝えたかった [illegible] 泉さんと直接やり合いたい、と思った。それが今回の対談成立の経緯 [illegible]

泉さんには東京に来ていただいて、何度も激しい率直な議論をさせていただいた。とても面白かったし、刺激になった。正直言って、こういう政治家が日本にまだいた、ということに驚き、かつ救いを感じた。

タイトルの「去り際の美学」は、泉さんのぼくに対する「引退勧告」から引っ張ってきている。ぼくも泉さんも人生紆余曲折、試行錯誤を経て、つまり、様々な「去り際」を経て、今に至っている。そして、これから先の「死に際の美学」を今まさに生きている。そこを読んでいただけたら嬉しい。

日本の政治は、23年暮れの自民党安倍派を中心としたパーティー券裏金疑惑で、大騒ぎになった。三十余年前のリクルート事件が蘇る。あの事件が日本の戦後政治に与えたインパクトはものすごいものがあった。一大疑獄として大勢の逮捕者が出ただけではない。あの事件を機に政治改革運動が盛り上がり、結果的に選挙制度まで大きく変更する、ということになった。そのことが二度にわたる本格的な政権交代をもたらす制度的背景になったことは皆さんもご存じの通りだ。

今回の裏金疑惑もまた、永田町を大きく変えることになる。それがぼくのジャーナリストとしての予測であり、その時に泉房穂という政治家が大きな役割を果たすかもしれない、というのがぼくの予感だ。泉さんがこの大政局にどう参画し、対峙していくのか。そのへんについては、第6章で泉房穂の国盗り物語りとして徹底的に聞いた。

泉さんの引退勧告にぼくがどう答えたか。それはこの本の中に書いてある。泉さんやぼくの引退を望んでいる人たちには申し訳ないが、ぼくは死ぬまでジャーナリストとして、この国の成り行きを最後まで見守りたい。この4月に90歳を迎える今、そんな決意を新たにしているところだ。

２０２４年3月　90歳を迎える直前に　田原総一朗

『去り際の美学』目次

序章

田原総一朗への引退勧告

第1章 それぞれの原点

第2章

挫折――そして転機

第3章

紆余曲折――人生はローリングストーン

泉房穂の紆余曲折

田原総一朗の紆余曲折

第二部　政治の美学

第4章

闘争——仕事はケンカだ

泉房穂の闘争

第5章

このままでいいのか、日本の大メディア！

第6章

未来へのロードマップ——令和・泉版『国盗り物語』

ジャーナリスト田原が迫る
泉房穂の国政へのビジョン

終章

去り際の美学

序章

田原総一朗への引退勧告

すべてはここから始まった——。

「えっ、田原さんってこんな人やったん!?」

それが、7月28日深夜『朝まで生テレビ!』（テレビ朝日系）に出演した率直な感想です。

じつは私は、かつて「朝生」のスタッフでした。番組は1987年にスタート。その翌年に、最初に就職したNHKから、テレビ朝日の「朝生」の番組担当に移ったんです。

三十数年前は、経済は右肩上がりで給料もどんどん上がった時代。当時は「朝生」のテーマも防衛、外交など国家レベルのものが多かった。「原発」や「天皇制」といった、タブーとされたテーマにも挑戦しました。

でも今は、経済が停滞し、給料も上がらず、みんな疲弊している。国民の関心は「子育て」や「介護」など身近な問題に移っている。メディアはそうしたニーズにシフトできていないんやないか。司会の田原総一朗さんも、パネリストとして番組に参加した学者やコメンテーターの方々も、時代の変化に追いついていないんやないか。

かつて「朝生」は、スタッフの私にとっても、ワクワクドキドキする番組でした。当時20代の私には、田原さんは光り輝く存在。鋭い分析力と時代を切り開く覚悟があり、その使命感に燃えておられたと思います。

おそらく三十数年たった今も、ご本人の思いは変わっていないのかもしれませんが、今回、田原さんの変貌ぶりには愕然としました。

田原さんは最先端のテーマに関心をお持ちだったはずなのに、喫緊の課題である「少子化」について、驚くような発言をなさった。とくに「少子化は女性や若者の問題」と、何度も言われたことに唖然。番組中でも反論しましたが、少子化は女性だけでなく、育児分担などを含めて男性にも関わる。そして若者だけの問題でもない。

しかし、田原さんにはそのあたりの認識がまったくないように見えたから、思わず名指しで反論したんです。「少子化は、田原さんを含む経団連のお年を召された頭の固い方々の発想の転換（の問題）やと思う」と。

もっと残念だったのは、田原さんのジャーナリストとしてのスタンスがまったく変わってしまったこと。かつての田原さんはけっして権力に迎合するような方やなかった。

ところが、今回は「総理と会った」とか「経団連の役員から声をかけられた」とか、そんなことばかりおっしゃる。「えっ、こんな人やったの？」と耳を疑いました。

ご本人はいまだに、「自分は批判精神を持ち続けている」と思っているのかもしれませんが、その姿勢は感じ取れなかった。それが残念やなと。

「朝生」のスタッフ時代に印象に残ったテーマはふたつ。

ひとつは「原発の是非を問う」。当時、タブーだった原発問題を日本のマスコミで初めて取り上げ、原発推進派と反対派に分かれて対決した。あのとき、私は「フロアディレクター」として番組の進行役で、「10秒前、9、8、7…」と放送開始のカウントダウンをしながら、「いよいよ原発を生でやるのか」と、興奮して震えていました。

もうひとつのテーマは「天皇制」。ソウルオリンピックがあった1988年に、「オリンピックと日本人」というタイトルで討論しました。じつはこのとき、生放送で初めて左翼と右翼が一堂に会して「天皇制」の是非を問うたんです。

あのときは、右翼がスタジオに抗議に来るんじゃないかと、スタッフも戦々恐々としていました。それを防ぐ意味でも、番組には右翼の大物に出演してもらいました。

当初から、「天皇制」を議論する予定でしたが、局の上層部のOKが出なかった。そこで「オリンピックと日本人」というタイトルにしたわけですが、天皇制の議論が始まると、出演していた経済学者の栗本慎一郎さんが「聞いていない」と怒って帰ってしまった。そういう緊張感のなかで番組は放送されていた。

当時の「朝生」は熱気があったし、番組での議論によって政策が変わるぐらいの力を持っていました。一方で、当時は「深夜だから誰も見ていない。かめへんから。やってまえ」みたいな空気もあった。おもしろい時代でした。

（中略）

田原さんは元気のあるころのテレビの象徴やったが、さすがに89歳。今でも敬意は持っていますが、「去り際の美学」という言葉もあるように思う。

（週刊『ＦＬＡＳＨ』２０２３年8月22日・29日合併号）

やはり田原さんは今もすごかった

田原　泉さん、『ＦＬＡＳＨ』にぼくのことを書いてくれてありがとう。あの記事を読みましたがね、娘にも「その通りだ」と言われました。はっはっは（笑）。

泉　いや、あの記事が出た後、わざわざ私のところにお電話いただきましたよね。あいにく私は不在にしていたのですが、電話口に出た者から同様のことをおっしゃっていたと聞き、いやぁ、やはり田原さんは今も昔もすごい方だと思いました。

田原　批判、炎上、大歓迎！　それがエネルギーになります。無視されるよりはるかにいい。それは私自身もそうですが、泉さんにも制作に関わってもらっていた「朝まで生テレビ！」（以下「朝生」）の基本方針でもありました。

泉　覚えています。私は１９８８年、「朝生」が始まって2年目に制作スタッフとして採用されましたが、すごかったですよね。当時の「朝生」はそれまでタブーとされてきたテーマをどんどん取り上げ、とにかく「次は何をやるのか」と世間の注目の的でした。

田原 人生の縁というのは不思議ですね。後に明石市長になって全国に「明石モデル」を広める泉さんと、ある時期、同じ空間で一緒に仕事をしていたなんて。

泉 私はもともと貧しい漁師の倅(せがれ)ですが、10歳から政治家を志し、東大に入るものの学生運動に敗れ、いろいろあって、いったんはNHKに入りました。そこも1年で辞め、人生を模索しながらパチンコ屋でアルバイトしていたところ、友人たちから「おまえ、いつまでパチンコ屋で働いてんねん」と言われ、「こういう募集があるぞ」と見せられたのが「朝生」のスタッフ募集のお知らせでした。

田原 それが1988年か。「朝生」が2年目で、番組に脂がのりかけていた時期です。

泉 まさにブレークしていた時でした。スタッフ1人の募集がかかって、それを私が受けたんです。プロデューサーの日下(雄一)さんとディレクターの吉成(英夫)さんに面接していただいて。

田原 無事採用されたと。

泉 はい、それで短い期間でしたけど「朝生」で仕事させていただきました。私からすると、憧れの田原さんのそばで働いたことをよく覚えていて、何がすごいって、仕事にかける情熱がすごかった。もちろん今もでしょうけど、当時のことで覚えているのが、周りから「何か美味しいもの食べに行きましょうか」という話があっても「いや、そんなんいらんねん」って。「白いご飯さえあったら十分や」みたいなことを言ってはったと思うんです。食いもんよりも仕事だという姿が、カッコいいなと思いましたね。

田原 そのシチュエーションはよく覚えていないけど、確かにずっとそんな仕事中心の生活を送っています。

深夜の時間帯の弱みを逆手に取った「朝生」

泉 当時の田原さんは世の中へ憤りのこもった提案をされ、常に戦っておられた印象です。世の中のタブーに対しても切り込んでおられた。「原発の是非を問う」とか「天皇の戦争責任」とか、当時にしては触ってはいけないと言われていたテーマに真正面からぶつかっていきました。

田原 そう、88年に「天皇の戦争責任」というのをやった。実は昭和天皇には戦争責任があるのではないかという話です。敗戦直後には連合国の中にも、天皇は裁判にかけなきゃいけない、処刑するのが当然である、という意見があったが、マッカーサーが「天皇を処刑したら日本は共産主義になる。共産主義にしたくない」から、憲法を作って、象徴にして、天皇を裁判にかけなかった。というような話をしたんだよね。

泉　そうです。今もそうですけど、当時もやっぱりタブーが多くて。議論してはいけないっていう空気感があって。

田原　そう。やってはいけない議論ばっかり（「朝生」では）やったね。

泉　テレビ朝日は元々教育系の番組を流す歴史があって、一種硬派の伝統があったんですかね。80年代に入って深夜、他のテレビ局が女性の水着姿とか、おちゃらけ系番組を多く流す中で、真面目で異色の番組でした。テレ朝はニュースを流そうにも系列が少なかったし、ＴＢＳ、日テレなどに比べると後発で力も弱かった。逆にそれがあったから、あんな討論番組ができたんですかね。

田原　あの当時、テレビ朝日が三流局だったからこの番組ができたんです。当時ね、深夜番組っていうのはほとんど再放送ものを流していたの。ところが、フジテレビがこれを変えた。女子大生を出して「オールナイトフジ」というのをやり出したんです。再放送ではない、独自の番組を作った。これがヒットした。で、テレ朝編成局長だった小田久栄門から相談を受けた。86年秋のことでした。何とか夜中の番組を開発したいが、いいアイデアはないか、との話だった。

泉 田原さん、最初からからからんでいたんですね。

田原 深夜番組はね、2つ問題があった。視聴率が低くて制作費が安いから有名タレントを出せない。もう1つは、深夜に終わると、出演者全員をハイヤーで送らなきゃいけないけど、金がない。畢竟、終電で来て始発までという長時間番組をやらなきゃいけない。ずっと夜通し見てもらうには、ある程度刺激が強くなければならない。有名タレントは出せない、長時間番組、そして刺激の強いものと。クリアすべき3つの条件があったんです。

泉 今の「朝生」は短くなったけど、当時は午前1時から6時までめいっぱいやってましたからね。朝6時に終わった後、懇親会までやってたんですよね。空が明るくなってからビールついでました。そういう意味ではまさにおっしゃる通り終電から始発まででしたね。

田原 その時にぼくが小田に提案したのは、比較的重たいテーマで時間制限なしの討論番組を作ってみたらどうか、というものだったのね。朝、昼に流すワイドショーの逆張りを考えたんです。テレビの視聴者は皆浮気者だから、どんなテーマでも関心は5分と続かない。それに合わせ慌ただしく番組を作らざるを得ないんだけど、この際それを逆手にとって、1つのテーマについて、徹底的に議論したらどうかとね。コメンテーターが半端な論評するんじゃなくて、その問題に深くタッチしてきた専門家を数多く呼んで夜を徹して議論する。そんな番組であれば、一定の視聴率には達するのではないかと。

泉 私の記憶でいくと、本当にあの時の「朝生」は月1回ですけど、毎月歴史を作っていってたし、時代を変えていってた頃でした。もうみんながですね、次回のテーマは何だろうかと。何に切り込むんだろうって、わくわくするようなところがありましたね。今おっしゃったような「天皇の戦争責任」や「原発」のみならず、オウム真理教、部落差別、議論をしたらまずいんじゃないかってことを、ことさらに突っ込んでいってる状況でした。

田原 一番大きかったのは部落差別じゃないかな。「部落差別」と言うことすらタブーだったけど、差別されている部落の人たちに出てもらってね。ところがね、ここがおもしろい。当時大きな反差別団体は3つあった。社会党系の部落

泉

解放同盟、共産党系の全国部落解放運動連合会、そして、自民党系の自由同和会だ。彼らを1つのテーブルにつけさせなければならないわけよ。これがなかなか難儀だったね。それぞれに仲が悪い。会ったら殺し合いになる、なんて脅されたほどだったね。この3団体を一緒に集めてね。これは日下さんが優秀だったからできた。何回も団体に足を運び、執拗に口説き、半年かけて3団体を出すことに成功したんです。

毎月、全国的な注目を集め、それによって時代が変わり、それを受けて雑誌なんかも後追い記事を書くような感じがありました。突破口を開く、というか、ない道を作っていった時代でした。そういう意味では田原さんというのは道を作る人、時代を切り拓く人。もっと言うと、大胆な方針転換を世の中にさせていった人でした。その方のお近くで、短い期間でしたけど、仕事ぶりを見させていただいて、いいなあと思ったのをよう覚えてます。仕事に打ち込む姿勢というものをそこで学ばせていただきました。

日下さんという名プロデューサー

泉　だから番組にクレーム、抗議の電話というのはしょっちゅうで……（笑）。

田原　ぼくがよくプロデューサーの日下さんに言ったのはね、「クレームがいっぱい来て炎上する。いいじゃないか、大歓迎だ」と。無視されるよりはるかにいい。日下さんもそれをよくわかっていた。だから成り立った番組でした。

泉　日下さんはニュースの世界に次々に新しい切り口、手法を持ち込んでスタジオ設定とか、討論型とか、見せ方も変えていかれましたね。一種ドラマやったんですね。ドラマの出身の人だからストレートニュースじゃなくて、ドラマ的なニュースの形に持っていかはったんかな。「朝生」なんかもそういう感性が強かったんですよ。

でも根っこのところが反骨精神の強い方でもあったので、もう覚悟を決めて、テレビとしての使命を果たすべき、というところだったんじゃないかな。

田原　殺されてもいいと思っていたんですよ。ぼくも彼も。

泉　そうですよね。日下さんの腹の括りも半端なかったですよね。最後は責任は俺が取るという感じだった。私の記憶だと、例の天皇の時も、表は「オリンピックと日本人」というタイトルでしたが、何が何でも「天皇」に斬り込むことは譲らないと。

田原 天皇の戦争責任をやろうと日下さんと決断したら、当時の編成局長が「とんでもない。局として許せない」と。そこで一応「わかった」といってタイトルを「昭和63年・秋　オリンピックと日本人」にしたの。新聞のテレビ欄ではね。最初はそのテーマで入って、30分くらい経ってから、本番中に「今日はこういうことをやってる日ではない」「やっぱり天皇の戦争責任をやる」とぼくが宣言して、討論のメンバーを大島渚、野坂昭如らに入れ替えたの。

泉 1988年9月30日のことでしたね。昭和天皇が吐血して重体になり、新聞、テレビは「ご容体」報道を連日繰り返し、日本中が自粛ムードに包まれた時代でしたね。

田原 番組切り替えた後、天皇の戦争責任をがんがんやった。やったんで、月曜日に編成局長に謝りに行った。「申し訳ない。騙して」と。そこでわかったのは、天皇にテーマを替えてからの視聴率がガーンと上がってた。しかも野村秋介が……。

泉　そう。野村さんの存在大きかったですね、あの時。

田原　野村さんの抑止力のおかげか、右翼からも文句が来なかった。編成局長に謝りに行ったはずが、局長からは「田原さん、大晦日にもう一回やって」と言われて面くらったりしてね。

泉　そうそう。私もそこはよう覚えてるんです。当時の「朝生」の部屋って3人だけやったんですよ。日下プロデューサーと吉成ディレクターと私が使ってるんですよ。「朝生」テレビのスタッフルームですわ。田原さんと日下さんが相談をしながら、物事を決めて行かれて。で、日下さんの指示を受けて、私がいっぱい本を買い込んで読み込み、「この人はこっちの立場だけど、この人はあっちの立場」という一覧表を作った。それを元に日下さんと相談して誰を呼ぶ、呼ばないと決めたんですわ。

田原　野村さんもその下調査から名前が挙がったんだよね。

泉　原発の賛成、反対も、単純な賛成派・反対派じゃなくて、どの立場からの賛成、どの立場からの反対かを全部整理して、キャスティングしました。「こういった切り口のやつおらんか」と言われて、私が調べて、「この人、面白そうです」という形の役割です。本当に日下さん腹括ってはって、「天皇の戦争責任やって何が起こるかわからんけど、構わん。やるから」と言うてました。「ただ、上がうるさくてなー」ともね。もう最後はタイトル変えて突っ込むぞって言うて。「日下さん、大丈夫ですか」って言ったら「いや、わからん、どうなるやろ」とか言うて。照明さんや音声さんなんかも含めて「責任が及ばないようにしてあげなあかんな」という議論までしてましたね。全員が何か大変なことに巻き込まれるんちゃうかぐらいのね。やっぱり天皇の戦争責任なんてことを、生放送でやることは……。そんなことをやったらもう何が起こるかわからんぐらいのね。

田原　論客のパネリストの皆さんがなかなか天皇の話をしなかったから、途中で日下さんが耳打ちしに来てたね。「皇居の周辺をマラソンしてるわけじゃないんだからちゃんと中に入れ」ってね。

泉　私も覚えてる。日下さん、腹括っているのにみんな腫れ物に触る状況で。最初の半分ぐらいはね、たわいもないオリンピック論議でね。「いつまでオリンピックの話しとんねん！」という感じで。それで論客の皆さんも途中からスイッチ入っていった感じでした。

本気の討論ができない時代

田原　その日下さんが60歳で亡くなった。

泉　日下さんのことで言うと、私、結局テレビ朝日も1年ぐらいで辞めるんです。政治家の師というべき石井紘基さんと出会い、彼の選挙を手伝うためにテレ朝を辞めたのですが、その時日下さんに言われたことが後の私の政治家としての大きな指針となりましたね。

「泉、おまえはたぶんいつか権力を取るだろう。取るだろうけど、権力に使われるな。権力を適正に使う人間になれ」と。

つまり、権力に溺れたり、権力に使われたらあかんと言われました。それが25歳ぐらいの頃です。

日下さんとは後日談があって、その後、私が40歳で衆議院議員になった時、日下さんが主宰していた学生を集めた勉強会みたいなところに講師で招いていただいて。十数年ぶりの再会で、「やっぱり政治家になったたな」と言ってもらえたことが心に残っていますね。

田原　早く死に過ぎたんですよ……。あとはやっぱり大島渚、野坂昭如という存在も大きかった。

泉　大島さんも野坂さんも腹の括り……くさい言い方すると「覚悟」やわ。田原さんと日下さんと大島さん、野坂さんあたりの野武士的な腹の括りというか。自分たちの役割を果たすんだと。どうなるかわからなくてもやるぞという覚悟が当時の「朝生」には漲(みなぎ)っていました。

田原　それをやることでテレビ朝日がつぶれるのであればそれもいいじゃないか、と。

泉　本当にそれぐらいの空気感ありましたね。

田原　大島や野坂がいた時は、彼らにまともに反論してもこっちが打ち負かされることもあった。今、怖いのはね、下手にぼくが言うとみんな反論しない。黙っちゃう。

泉　そうかもしれません。「そうですね、そういう意見もありますね、こういう意見もありますね」という時代において、田原さんだけが「黙れ！」と言って(笑)。昔は田原さんが「黙れ！」って言ったら、大島さんや野坂さんが「おまえこそ黙れ！」って言い返したと思うんだけど、今は「黙れ！」言ったら「はい、暴言」で終わっちゃう。

田原 反論しないんだよ。

泉 本気のバトル、本気の討論になりにくい時代かもしれませんね、今は。当時の「朝生」の強さは賛成反対両方ほんまに向かい合わせにさせて。

田原 真剣勝負だった。

泉 真剣勝負でしたねぇ。ここで負けたら時代が変わるんじゃないかくらいの緊迫感がありました。原発の時なんてすごかったじゃないですか。推進派と反対派、どちらか言い負かされたら、これはあとが大変やろうなと思いましたけど、そこが面白かった。

田原 だから泉さんが今の「朝生」はつまらなくなったとしっかり指摘してくれたことが嬉しかった。
そして、そんな草創期の「朝生」を一緒に作ってきた泉さんが、今や日本の政治を変えるかもしれないキーマンの1人になっている。ぜひジャーナリストとして、人間・泉房穂、そして政治家・泉房穂の思想とビジョンに迫りたい。そう思って、今回ぜひ対談をしてみたいと思ったんです。

第一部

わが人生の美学

第1章

泉房穂の原点

10歳の誓い「この社会を優しくしてみせる」

田原 まずね、あなたの原点を知りたい。10歳の時に明石市長になろうと思ったという話は有名です。だけど、なぜそう思ったんだろうか。

泉 10歳で誓ったのは、本当にクリアに覚えてますけど、やっぱり復讐ですよ。こんな冷たい理不尽な世の中で生きていたくないと思った。こんな世の中ひっくり返してやると。優しくしてみせると。それが10歳です。

田原 もっと具体的なシチュエーションを言うと？

泉 ちょっと長くなりますよ。まず、生まれた村が貧しかった。

田原 生まれた村はどちら？

泉 今の明石市二見町です。市の西側にある地区で、1951年に明石市に編入される前の兵庫県加古郡二見町（1927年までは二見村）です。

田原　なんで、貧しかったんですか。

泉　歴史的な経緯があって、豊臣秀吉にまで遡（さかのぼ）ります。秀吉が天下統一する過程で、うちの地域は反秀吉側だったようで、その結果天下を取った秀吉から干された形になったんですね。

田原　負け組になってしまった。

泉　その影響はあちこちに出たんです。漁師の世界でも、明石の海の幸の配分で差別、分断が起きた。わが村はいわゆる高級魚である鯛とかが取れる場所には行かせてもらえない。わが村はタコを取ったわけです。

田原　なんで高級魚が取れるところには行けなかったんですか。

泉　海の縄張りがあるからです。

田原　縄張りがね。豊臣秀吉に反対したから、いいところに行けないんだ。

泉　なので貧しくてね。江戸時代に飢饉や大災害の時には餓死者が大勢出た、という記録が残っているんですわ。だからわが村だけお地蔵さんが多いです。たくさん間引いたからです。そんな中で、ある時、村の若者3人が参勤交代する大名の前に飛び出してね、「この村を救ってください」と直訴した。自分の命を投げ出して、村を守った「二見三義人」という3人が祀られている墓が建ってます。その時に殿さんがちょっと領地を分与してくれ、それで村は生きながらえたという言い伝えが残っています。

一貫して弱い村でした。明石市に編入されたのは、51年1月ですから戦後なんですよ。

田原 それまでは明石に入れなかったの？

泉 明石でもなく、そのまた西の姫路でもなく、緩衝地帯のような位置づけだったんですね。

田原 そういう意味では、もう子どもの頃から差別に対して強い反発心があった。差別撤廃だという。

泉 そうです。私がというより、わが村挙げて、ですね。だからこそ、私の選挙の戦い方は半端ないんですよ。

田原 どう半端ないの？

泉 私はそういう村に生まれ貧しい子ども時代を過ごして、東京に行ったけど、必ず戻ってきて、街を変えようと思っていたので、私が東京から帰ってきたらみんなが「やっと帰ってきたか！」と迎えてくれました。そして、私が市長選に立候補する時に集まった村の人たちのセリフ、忘れもしません。「たとえおまえが人殺しても、わしらはおまえの味方や」というものでした。

父から受け継いだ公共の精神

田原　村の人たちは何で泉さんをそんなに頼りにしたんだろう。

泉　そこは私の親父の存在が大きくてね。親父は小学校出て漁師せざるを得なかったわけですけど、私が言うのもおかしいけど、すごく賢い人でした。漁師としても、凪とか潮を読んで魚群を見つけ出す力に長(た)けており、みんなが重宝がったんですわ。中学校行かなあかんのに、漁を手伝わされたのは、うちの親父の能力が高かったせいですよ。

田原　泉さんは、親父さんの素質を継いでいるわけだ。

泉　親父はその後、漁だけじゃ食べていけないので海苔の養殖を導入したんですね。味付け海苔ってやつです。九州の有明海に飛んで、自分で顕微鏡を買って、海苔の繁殖の分析をして、明石に持ち込んだんです。それで一生懸命研究をして、うちの親父が作る海苔はずっと1位で、天皇陛下に献上する海苔はうちの親父の海苔だったんですよ。

田原　皇室への献上品を。

泉　はい。親父がすごいのは、そのオリジナルな養殖技術を仲間皆に説明して回ったところなんです。その作り方をね。うちのオカンは、もう俗に言う〝オカン〟だから（笑）、「黙っとけ、黙っとけ」って。そんな情報を漏らすな、みんながてきるようになって儲からなくなったら困るだろう、と。

田原　ある意味、正論だ。

泉　せっかく儲けられるようになったのに、なぜその情報を全部ばらすのかって言うて、よく夫婦ゲンカしていました。ただ、そこに関しては親父が断固として「違う」という姿勢でした。

田原　その公共精神というか、皆のために尽くす姿勢を泉さんが引き継いだんだね。そのお父さんからはどんな教育を受けたの？

泉　うちの親父が言ったのは、「自分は勉強したくてもできなかったからおまえは勉強したかったらしてもいい」と。かつ、「おまえは漁師になる必要はない、おまえは自分のしたい道を歩んだらいい。おまえがしたいことをさせるのが私の夢や」とね。変な言い方かもしれませんが、抜けてるぐらい腹括っている父親でしたね。

田原 そのお父さんがあなたのお母さんと結婚され、あなたが生まれたのが1963年。

泉 うちの親父とオカンの結婚の誓いは、「2人で頑張って働いて、子どもが生まれたら高校に行かしてやろう」なんですよ。親父は小卒、オカンは中卒、2人とも勉強したくてもできなかったのでね。大学なんて発想ないんです。私の親戚は、大学生ゼロでした。私が親戚中で初めての大学生ですからね。高校に行くのすら珍しくて、みんな中学を卒業したら漁師になる村でした。

原点は障害のある弟の存在

田原 その親子3人の家庭に、障害を持った4歳下の弟さんが生まれた。

泉 弟は1967年生まれですが、この話には前段があって、前年の66年が、いわゆる丙午(ひのえうま)なんですよ。この時、実はうちの母は弟の前にも身籠っていたんですが、丙午の生まれになるもんだから、村中から「堕ろせ」の大合唱があって、

田原 結局堕胎してしまった。

泉 丙午に生まれた女性は気性が激しく、夫の寿命を縮めるという迷信が根強く残っていた時代ですね。

田原 その66年は日本の出生率がガクンと減って、前年の65年の25%も減ったという統計もあるくらいです。そういう背景があって、翌年にまた身籠って、やっと生まれたのが弟なんです。

泉 それは待ちに待った2人目だ。

田原 ところが、弟は障害を持った状態で生まれた。チアノーゼで真っ青な状態でね。病院の医師からは「これは絶対に障害が残ります。なのでもうこのままにしましょう」と言われ、同意書みたいのがあって、両親が泣く泣くそれに署名したと言ってました。

泉 何の同意書かな。

田原 いったん生まれてしまったから、処理するための何らかの同意書があったんでしょうね。両親はいったんは同意したものの、その後にオカンが泣き崩れて「生まれてるんだから連れて帰りたい」と言って、周囲の反対を押し切って、弟を家に連れ帰ったんです。周囲からはずいぶん「去年だって堕ろしてるじゃないか」とか、「来年産んだらいいじゃないか」みたいなことを言われたそうですが、後で聞いた話では、もう腹括ったと。障害のある子に自分の人生をかけると誓って連れて帰ってきた、と言っていました。

田原 余程の覚悟だね。

泉 それで家に連れ帰ったはいいけど、その時代の社会というのは、行政の価値判断も障害がある子どもを作るな、産ますな、連れて帰すなの時代ですから、なぜ連れて帰ってきたんだと。なぜ障害がわかりながら家に連れて帰るような愚かなことをするんだという社会ですから、家族4人で肩寄せ合って生活してましたね。それこそ石を投げられるような空気感の中で、弟と暮らし始めたことをよく覚えてますよ。

田原 当時は優生保護思想が強い時代だったよね。弟さんが生まれる前年の1966年には、兵庫県知事が先頭に立って、不幸な子どもが生まれないようにする運動、つまり、優生保護運動を始めていた、といいますね。

泉 障害がある子がいると、本人も不幸に違いないし、家族も苦労するし、税金もかかってしまうから、障害のある子を世の中からいなくする方がいいんだというふうな価値判断からきた運動でした。

田原　優生保護法は1948年から1996年まで存在した法律だね。不良な子孫の出生を防止、母体保護の名目で強制不妊手術、人工妊娠中絶、受胎調節が合法化されていた。まだその法律の後遺症が残っており、被害に遭った人たちからは国家相手に訴訟が相次いでいる。全国各地で違憲判断が出され、2022年には高裁レベルで国家賠償請求が認められた。だけど、弟さんが生まれた当時は、知事が率先してそういう運動の旗振りをしていたわけだ。

泉　そうです。それは別に珍しいことではなくて、それこそその考え方はナチスドイツでヒトラーが、実はユダヤ人だけじゃなくて障害者も同じようにガス室に送り込んでいた、という史実からも窺えますわね。当時のドイツの賢いはずの学者たちも賛同してきたわけです。まさに優生思想です。人類を優秀にするためには、劣悪な障害者を減らしていくと。障害者を減らし、障害者に子どもを作らせなければレベルが上がっていくという考え方に基づいて。

田原　それでもお父さんとお母さんとあなたは歯を食いしばって頑張った。

泉　食うや食わず、生活は厳しいし、何の支援もない。おまけに弟は障害でしょ。いやそれはハングリーというか、もうほんまに肩寄せ合う状況で、子どもの頃を過ごしましたよ。うちには洗濯機がなかったから川で洗濯したたし。そら貧乏でしたもん。

オカンの心中未遂事件

田原　そんな中で、お母さんは無理心中を起こそうとしたことがあったとか。

泉　弟が2歳、私が6歳の時ですわ。阪大医学部のお医者さんから「起立不能」との診断が下りたんです。一生立てません、という診断をされてしまった。この「起立不能」の4文字を見て、オカンは無理心中を図ったと言います。結果、未遂に終わりましたが。

田原　お母さんが弟さんと心中しようとして失敗したのは、やっぱり泉さんがいるから、死ねないなと思ったのかな。

泉　そう聞かされました。後に「あの時、死のうと思ったのにおまえがおったから死なれへんかった」って怒られたことがあります。まあ、むちゃくちゃな話やけど（笑）。

そこで死ねなかったから、今度は何が何でも弟を歩かせてみせると思って、うちの両親は弟にギプスをはめさせました。「巨人の星」の大リーグボール養成ギプスのようなものをつけさせて「歩け」と言うて、むちゃくちゃ弟に歩かせる訓練を勝手にした。まさに根性物の漫画と一緒ですわ。学問的、科学的に何の裏付けもなく、力ずくで歩かせようとしてね。もう弟がかわいそうで。それでもうちの両親はあきらめなかったね。

田原　ギプスが効いたの？

泉　私はそのおかげとは思わないけど、結果において弟はその2年後の4歳で立ち上がり、5歳で歩き始めた。それはもう今から思ったらよう立ち上がったと思うし、よう歩いたと思う。もうすごい回復を見せるんですよ。両親と私はもう泣いて喜んで、これで村の小学校の入学に間に合ったとね。

ところが、ですよ。その時の明石市当局が言ってきたのは、「そんなに歩きにくいんやったら、電車とバスに乗って、遠くの養護学校に行け」ですから。あの時の憤りは忘れもしない。そんなこと言ったって、うちの両親は朝から漁に出ているし、誰が連れて行くんですか。行けるわけがない。うちの両親が「家の近くに学校があるんやから、その学校に行かせてくれ」って掛け合ったら、明石市は2つの条件をのむんだったらいいと。1つは、送り迎えは自分らの責任でやれと。もう1つは、何があっても明石市を訴えないこと。だから自己責任ですわ。おまえら、送り迎えは勝手にやれ、何があったっておまえらの責任だ、わしら関係ない、というのを突きつけられてね。

田原 それはひどい話だ。

泉 ひどいですよ、そら！ それが私が10歳、弟が6歳です。だけど、その条件をのむしかなくてね。うちの両親は朝2時半に漁に出てるんですよ。それでも貧乏なんですから。どないせいちゅうねんというぐらいの、言うたら働いて働いて、体酷使してても貧乏なんですよ。だから本当に理不尽なんですね。

見上げた空に誓った「こんな冷たい社会は絶対に変える」

田原 ご両親が2時半から働いて、弟さんはどうやって学校に行ったの。

泉 私が送り迎えしたんですよ、全部。10歳の私が6歳の弟にランドセルをカラで背負わせて、教科書2人分私が持って、弟の手を引いて登下校したんですよ。

田原　弟さんは学校までは歩けた？

泉　遅いけどよちよちで歩けたんです。手を引っ張ってゆっくりゆっくり2人で学校に行き、学校の正門を入ったところにトイレがあって、そのトイレの個室に2人で入って、弟のランドセルに教科書を入れ替えて、弟の1年生の教室の入口まで連れて行って「戦ってこい」と。「今日も頑張れよ」と送り出す毎日だったんですよ。ほんまに冷たかったですよ、周りが。障害があるから助けましょうじゃなかったもん。

田原　学校生活に支障はなかったの？

泉　入って間もない頃に全校生徒の潮干狩りがあったんです。弟も連れていってくれたんだけど、5センチくらいの浅瀬で弟は溺れてしまったんです。倒れちゃって。そこで突っ伏しちゃって、ブクブクとなってしまって、自分の力が弱いから起き上がれない。近くにいた私が駆け寄って、起こしたんだけど、その時に「なぜみんなすぐに手を差し伸べて起こさないのか」と。

田原　みんなも何が起こってるかわからなかったのかもね。

泉　健常な人たちからすれば、確かに「もう何してんねん、起き上がったらいいやないか」と思っていたんだと思います。でもね、その時周りの冷やかな目、先生らも含めて怪訝な目で見られている中で、自分が泥だらけの弟を起こして、その後、家に連れて帰るんですけど、私、今もよう覚えてますわ。あの時に、泥だらけの弟の手引いて家帰る時に見上げた空が、本当に許せなくて……。その時自分が誓ったと思います。

田原 許せんってどういうこと。

泉 こんな冷たい社会は嫌だと。弟のこと大好きだったし、悔しい思いの中で学校に行かしてくれと言って頼み込んで登下校やってたけど、実際やってみたら溺れちゃうわけですよ。起こしてくれないわけですよ。その時に、こんなに理不尽な思いは嫌だと、自分が力を持ってこんな冷たい社会は絶対に変えてやると。

だからよく私が言う「10歳の誓い」というのは潮干狩りの帰り道で、弟の手を引いて、空に対して誓ったイメージです、私の中では。自分の命を投げ出してでも、こんな冷たい世界はひっくり返してやるぐらいの気持ち、ほんまに思いました。

田原 その時に明石市長になると思ったんだ。

泉 市長というか、社会を変えたいと思ったのは10歳です。もう小学校のその頃から「俺は将来市長になって明石を優しくする」ということはクラスメイトに言ってたから。クラスの人間は覚えてます。

田原 こんな冷たい、誰も助けない、この街を変えたいと思ったわけですね。

泉 それは本当にそう思いました。それから50年。市長を辞めた2023年4月30日までは、私はもう全身全霊かけて、まさに10歳の誓いを果たすべく、明石の街を優しい街にしてみせると思って生きてきたのはほんまです。でもおかげさまで、明石の市民はもう泣きたいぐらい優しいです。私の顔見たら、みんな走ってきて私に礼を言うんですよ、ありがとうございます、助かってますと。政治家としては辞めた後まで、道行く市民から礼を言われるなんて、ありがたいですよ。

革命するために東大へ

田原 とても貧しかったという話でしたが、高校はちゃんと行けたんですか。

泉 親父もオカンも子どもに高校へ行かせるのが結婚の誓いでしたからね。

田原　高校はどこの高校？

泉　すぐ目の前の高校（兵庫県立明石西高）です。小学校も、中学校も、高校も、村のちっちゃなところ。

田原　ぼくもね、家が貧しいからアルバイトしながら高校に行ったのよ。家庭教師や新聞配達したりしてね。大学も東京の早稲田に行ったんだけど、昼は働いて夜学に通って、家に仕送りをするという条件で東京に出たの。泉さんは仕送りはしなくてよかったの？

泉　高校1年生になった時にすぐ先生に言ったのは「奨学金制度を教えて欲しい」と。私はもう大学は自分で行くしかないと思ってたからね。結局給付型の奨学金をたくさんいただくことができました。大学は入学金免除、授業料免除、奨学金だから親から1円ももらってないです。仕送りをしたのは、私が大学を卒業して、ＮＨＫに入ってからで、初任給は全額親に送りました。

田原　そこで質問。なんで東大行ったんですか。明石から近いところでは大阪大学とか京都大学もある。

泉　やっぱり仲間が欲しかった部分もあったかな。世の中を一緒に変えられる仲間を見つけたかったというのがあったんですね。東大行ったらきっと会話できる人間はいるだろうとは思ってました。それまで会話できる人いなかったもん。

田原 東大であれば話せる仲間がいるだろう、と？

泉 はい、革命したかったんです。

田原 革命なら、京大じゃダメなの？　京大の方が左翼が強かったけどね。

泉 今から思えばそうかもしれませんけど、当時の自分は田舎もんだったので、俗っぽい言い方しますと、賢い人間が集まったところに行って、そこで力をつけて、一気に世の中を変えたいと。

田原 日本で一番賢い人間が集まるところに行こうと？

泉 そう思ったんですが、実は全然賢くなくてね。みんな脳みそが動いてなくて、もう目がテンになってしまって。こんなレベルのやつしかいないのかとビックリしましたけど。

田原 でも、やっぱり日本で一番入るのが難しいのは東大ですよ。

泉 単に作業能力が高いだけで、手先で仕事してるような人ばっかりでした。結局受験ちゅうのは脳みそを使わなくても受かるんだなと思いましたね。

田原 東大卒業したら給料がいい会社に入れるし、偉くなれる。ほとんどの人間は自分の得か損を考えるけど、泉さんはまったくそういう考えはなかったの？

泉　私自身は世の中を変えることが自分の得だと思っていますから。
実はうちのオカンが死んだ後、私に対して「申し訳ないことをした」と周囲に言っていたことを知るんですね。「あの子には、自分のしたいこともさせず、人生をかけてしなければならないことを強いてしまった。もっと楽しい人生を歩めたはずなのに不憫でしょうがない」と言ってたというんですよ。というのも、オカンには「あんたは走って一番でなくていいから弟を歩かせてくれ」「あんたは100点取らなくていいから、弟に字を書かせてあげて」と言われていたんです。私は大好きな母親にそう言われ、本当に自分の肉体を引きちぎって、弟にあげたい気がした。それができない以上、自分の可能性、能力は自分に使うんではなく、弟を含む支援の必要な人のために全身全霊、一生かけて返そうと思ったんです。

田原　それをあなたに無理を強いたと、お母さんは後悔して亡くなったんだ。

泉　でも私は、それは違う、と思っている。私は今のこの生き方が楽しいし、自分のやりたいことをしてるんだと。自分のしなければならないことに全身全霊で打ち込める人生ほど楽しいものはないんだからと。オカンは死んでしまいましたけど、私は十分楽しい人生を歩んでいるし、こっちの人生のほうが自分は得だと思っていますけどね。

田原　お母さんいつお亡くなりに？

泉　2019年です。私の明石市長3期目の当選を見届けて亡くなりました。あの時は私が例の「暴言騒動」（2017年、市内の国道拡幅工事に必要な立ち退きに関し、土地買収交渉における進捗の停滞に業を煮やしたあまり、担当職員に対して暴言を吐いたとされる問題　19年2月に報道され表面化）でいったん辞任、出直し選挙で市民の圧倒的支持を受けて当選した時でした。

言い方悪いけど、私としてはちょうどいい時に逝ってくれたというか。私が一番落ち込んでいる時じゃなくて、みんなから請われて、村中のみんなが立ち上がって、署名活動して、私を市長の座に戻そうという運動が盛り上がり、それが結実したのを見届けた後でした。心筋梗塞だったんで倒れた瞬間に亡くなったんですけど、マザコンですので、オカンに対しては一定程度、役割は果たしたかなくらいには思ってますけどね。

田原総一朗の原点

軍国少年だった

泉　今度はこちらからお聞きします。田原さんのジャーナリストとしての原点は子どもの頃の戦争体験と聞きましたが。

田原　ぼくは戦争を知ってる最後の世代なんですよ。１９４５年8月15日。小学校５年生の夏休みに天皇の玉音放送を聞いたんです。日本が戦争に負けた日でした。

泉　実はうちの親が1歳違いで同世代です。

田原　そうでしたか。ぼくはね、典型的な軍国少年だったんですよ。なんせ生まれたのが１９３４年4月15日ですから。日本が満州事変（１９３２年）を起こし15年戦争にのめりこんで行く時と、ぼくらの物心がつく時とちょうど重なっていたんです。

泉　歴史の教科書に出てくる話ですね。戦後生まれには想像つかない時代です。

田原　軍国主義一色の時代でした。太平洋戦争が始まったのが国民学校1年生の時。担任が授業で、大きな太平洋の地図を黒板に書き、日本軍がどこまで進軍したかを赤丸で囲んでいったのを覚えています。南アジアの島々が次々に赤丸で囲まれていくのを小気味よく感じていたのも事実です。

泉　うちの親父やオカンも同じような教育受けたんでしょうね。

田原　夜はＮＨＫラジオの大本営発表を聞いてましたね。こっちも威勢のいい話ばかり。国民学校4年からは学校で軍事教練が始まり、5年生ともなると、社会科の授業で戦争目的なんかも教わるようになった。先生曰く、米英など列強各国が、アジアを植民地化するのに対抗した聖戦だとね。君らも早く大人になって、天皇陛下のために名誉の戦死を遂げよ、と言われた。

泉　教育の力は大きいでしょうね。

田原　ぼくなんか天皇陛下のために死ぬということに、全く疑いを持っていなかった。ぼくは、海軍兵学校入りが決まっていた従兄弟に憧れてて、海兵に行こうと思ってました。陸軍は行軍があって、歩かなきゃいけないからね。

泉　戦況はどうだったんですか。

田原 ぼくの故郷・彦根にも空襲がありました。爆弾が2発落とされ、機銃掃射もあった。死者や負傷者が出て、彦根の実家の前を運ばれていったのも覚えてます。従兄弟2人も戦死しました。一体これから先どうなるんだろうか、と。そんな時に迎えたのが8・15でしたね。

泉 実際、どんな心境で終戦を迎えたんですか？

田原 学校はちょうど夏休み中で、近所の大人たちがぼくの家に集まってきたんです。うちのラジオで聞こう、ということだった。ぼくも一緒になって聞いたけど、ノイズが多くて、何を言っているのかわからない。大人たちも同様で、解釈を巡って議論を始めました。「堪え難きを堪え」だから、本土決戦まで続けるんじゃないか、という人もいたんですよ。そのうち、彦根市役所の職員がメガホンをもって「戦争が終わりました」と教えてくれた。

泉 それでようやく終戦がわかった。

田原 それを聞いてぼくは絶望的になりました。海兵に行くという目標が崩れ去ったからね。家の二階でひたすら泣いた。そして、いつの間にか寝ちゃったんだ。そして、目が覚めたら世の中は夜になっていたんだが、外を眺めて驚いた。明るいんですよ。灯火管制で真っ暗だった街に電灯が煌々(こうこう)とついているんだね。

泉　日本全国でその晩同じような体験をした人がおったんでしょうね。

田原　ぼくの中で「もう死ななくていいんだ」という感情が急に突き上げてきたんだね。明るい街がこんなに美しいものだったことも知らされた夜だった。とにかく解放された気分になったんです。

教師に二度裏切られた

田原　2学期になり、また学校が始まった。そこでぼくは自分のジャーナリストとしての原点にもなる経験をするんです。

泉　どんなことですか?

田原　要は、大人たち、特に教師たちの言うことが終戦前と後で、がらっと変わったんだね。曰く「あの戦争は実は日本の侵略戦争だった。間違った戦争だった」と言い始めた。東條英機ら1学期までは国民の英雄とされた人たちが、2学期になって急に戦犯容疑で逮捕されたことを受け、教師も周辺の大人たちも、躊躇なく彼らは逮捕されて当然である、とまで言い出したんです。

泉　手のひら返しですね。

田原　教師の1人は、「君らは今後戦争が起きそうになったら体を張って阻止しなさい」とまで言いました。天皇陛下のために死になさい、と言った同じ人だよ。しばらくたって教科書の墨塗りが始まった。間違いだったというところに墨を塗らされたんです。天皇の御真影も校庭の焚火で燃やされた。

泉　田原少年はそれをどう受け取めはったんですか。

田原　教師たちの言うことが信じられなくなった。教師は聖職といわれ、子どもからしたら、人間関係の頂点にいるような存在だったから、その価値体系がてっぺんから崩れたわけですよ。これがぼくが大人や教師の社会から裏切られた、もう絶対に信用するものか、という思いを強めた第一幕でしたね。あなたのご両親を含めてぼくらの世代の多くの人たちが同じ体験をしたと思う。

泉　第二幕もあるんですか。

田原　それは1950年、朝鮮戦争が勃発した。ぼくが高校1年の時です。戦後の教育は、民主主義と平和を訴えるものだった。戦争は絶対悪、君らは平和のために頑張れ、むしろ、平和のために命をかけろと、教師たちから叩きこまれる日々だったんだね。ところがだ。この年の6月、朝鮮戦争が始まってからはまたまた教師たちの言うことが変わってきた。

泉　どんなふうに変わりはった？

田原　教師と議論する機会があり、ぼくが当然のように「朝鮮戦争にも反対です」と言ったら叱られた。「馬鹿野郎。いつの間におまえ、共産党に入ったんだ」とね。これにはぼくも傷ついた。教師から褒められることがあっても、まさかけなされることはないと思い込んでいたんだね。しかも、共産党を悪の権化のように否定されてしまった。

泉　田原さんは当時共産党のシンパだった？

田原　高校、大学時代は、共産党を最も信じていましたね。彼らは満州事変から対米戦に至るまで一貫して反対を貫いた唯一の政党だったからね。そもそも戦争反対に共産党かどうかは関係ないだろう。君たちは体を張って戦争を阻止しなければならない、という説教は一体どこに消えたんだ、とね。

泉　その思春期のトラウマが1つの原点になって、ジャーナリストの道に進まれた、ということですか。

田原　教師や大人、国家などの権力の言うことには簡単に乗ってはいけない。いつどんでん返しがあるかわからない。足元をすくわれないようにするためにはどうするか。まず、伝聞や推定は簡単に信用しない。自分で直接会って、見て、叩いて、聞いたものしか信用しない。もし自分の目で見て間違っていることがわかれば、その通説は信用しない。自分は間違っていると思う、とはっきり言う。そんな人生に対する基本的なスタンスが身についてきたんです。

泉　それって、ジャーナリズムの本来あるべきスタンスと重なってきますね。

田原　まさにそう。その意味では、ぼくらは、ジャーナリストになるべく宿命を負った世代なのかもしれない、とも思う。いずれにせよ、一次情報に執着し、直接会ってから物事を考える。政治を取材するなら、総理大臣から野党の党首まで皆に会う。原発取材なら、推進派と反対派の双方に会う。一次情報に幅広く直接接すること。これがぼくの人生の原点となったわけです。

第2章

挫折――そして転機

泉房穂の挫折

骨髄液を抜いてビラを配った

田原 泉さんは1982年、東京大学文科二類に無事入学された。東京で下宿しなきゃいけない。家賃や学費はどうしたんですか。

泉 東大駒場寮で、寮費は月2000円。十数万円の給付型奨学金をもらってたのでそれで生活をまかなえました。こういっては何ですが、私、奨学金の面接、めちゃくちゃ強いんですよ。高校は進学校じゃなかったこともあって成績はダントツのトップ。その上、弁が立つというか、自分自身を語る言葉があり、さらに奨学金を使って学んだことで世の中良くしたいと言いますから。何より実際に家、貧乏でしたしね。当時年収100万円台ですから、うちの親。

田原 アルバイトはしていたの？

田原 もちろんアルバイトもしてました。今思うと危ない話ですが、骨髄液（＝髄液／

脳室およびくも膜下腔を満たしているリンパ液状の液）を売ってました。背骨の中の液を闇で売って、1回2万円。学生運動に走ったので、そのお金でわら半紙を買って、印刷してビラ撒きしてました。当時の仲間は言います。「おまえ、怖かった」と。「このビラを捨てるんか。これは俺の骨髄液が変わった分身や」ゆうてビラ撒きしてたぐらいだから。ちょっと危ないですかね（笑）。

田原 それは売血じゃないの。

泉 まあ、血と一緒です。血じゃなくて骨髄の奥にある体液です。当時闇商売であったんです。白金にあった慶應の先生がやってて、あやしげな注射器で抜かれました。ちょっと抜くだけで2万円です。

田原 学生運動といっても、どんなことをしたんですか。

泉 機動隊とドンパチやってしまって、家にも警察が来たんです。両親にも懇願されました。「お願いだから普通の学生になってくれ」と。「あんたが子どもの頃から苦労して、こん畜生根性で頑張る気持ちはわかるけど、もういい」と。「うちの家もなんとかめし食えるようになったし、弟も歩き出して大丈夫だ」と。「うちの家族の戦いは終わったんだから、あんたも普通の大学生のように楽しんだらええ」と言われたんです。

田原　もう弟さんが歩けるようになって戦いは終わったと。

泉　でも私は反論したんですよ。「終わってない」と。「歩けてるのはうちの弟だけや。ほかの数倍重度の障害者はみんな歩けてない。その家族はいまだに介護で苦しんでるやないか」と。「弟の介護から解放されたわが家こそが立ち上がらんで誰が立ち上がんねん。私の戦いはこれからだ」と言うて、親とケンカしたわけですよ。

田原　偉いと思うけど、なぜそこまで言えるの？

泉　戦いは気づきですから。重度障害者のいる家の子どもは気づくけど、気づいても介護で手いっぱいです。私は介護から解放された者として、私が戦わずして誰が戦うねん。子どもが泣いてることに気づきもしない大人たちの中で、それに気づいてしまった以上、自由な時間と、あえて言うと、一定の能力を神様から与えられた者が戦わずして誰が戦うかという気持ちがありました。

田原　その思いがあって、学生運動に向かっていったわけですね。

泉　はい。あとは1年生の秋の時に東大駒場寮の寮委員長選に立候補しました。駒場寮は１９６８年の東大闘争といった学生運動華やかな時代は、新左翼が寮委員長を握っていましたが、その頃は共産党系の民主青年同盟（民青）がずっと執行部を取っていた。それを引っ繰り返そうという選挙でした。

田原 そんな状況での立候補は珍しいいんじゃない？　結果は？

泉 ダブルスコアで民青候補に勝ち、15年ぶりの政権交代となりました。私、選挙には強いんです、昔から。

それで駒場寮の寮委員長になって、次には駒場にある教養学部全体の自治会を取りに行こうとしたんだけど、さすがにそれは別の候補を立てることになりました。

田原 東大教養学部の自治会委員長にはならなかった。

泉 ただ、寮委員長として2年目の終わりに寮費値上げ反対運動に取り組みました。当時は中曽根康弘政権で、臨調行革路線にかこつけて、駒場寮をつぶしに来たんですわ。学生運動のメッカだったからね。月2000円の寮費を適正価格にするという名の下に2万、3万円に上げていくと。そうなると、貧乏学生は東大に来るなとなる。お金がある親でなくてもちゃんと大学に行けるような教育制度にすべきだという論点で反対したんです。自治寮を自分たちの手で守り切るという戦いです。国にケンカを売ったわけです。

全学スト打ったが敗北

田原 で、どうなったの？

泉 全学ストライキを打ちました。東大駒場で15年ぶりのストライキをやったんです。生真面目にやりました。過半数の賛成が必要だったんで、発議に3回かけて、徹夜の代議員大会も開き私も大演説ぶった。

田原 よくぞ、全学ストまで持ち込んだね。それは何年ですか。

泉 ストライキやったのは84年の2月2日、よう覚えてますわ。でも勝てなかった。学生世論の高まりがそこまでいかず、ザルストになってしまったこともあって、寮費値上げが強行されてしまって。負けて、自分としては敗北の気持ちで、日本を逃げるような形で海外に出ました。バックパッカーで3か月おきぐらいに国内を出たり入ったり。でも、気持ちはどうしても晴れなくてね。やはり、私が実行委員長としてストライキを決行した責任を取ることにして、退学届を出して明石に帰りました。

田原 え、退学？　経歴は東大卒でしょう？

泉　結果的には、退学していないんです。当時、東大教養学部は小出昭一郎さんが学部長で、私が駒場寮の委員長ですから、交渉やストライキでは敵側の大将だった方です。その小出さんが、私が退学届を出した半年後に電話をくれました。「泉くん、君、退学届を出して明石に戻ってるけど、今何してる？」と言うから、「塾でも開き、自分で生きていこうと思ってます」と言うたら、「泉くん、それは君のしたいことか。それが君の本当にしたいことだったらいざ知らず、そうじゃないんだったら帰ってきなさい。退学届は私が預かっている」と。そして、

「君にはまだ仕事がある。みっともなく、恥ずかしいかもしれないけど、潔く散っていいものではない」

と、そんなニュアンスのことを言うてくれました。私も嬉しくて、涙流して「わかりました」と言うて。それで、もう一回やり直そうと大学に戻っていったのが21歳でした。

田原　なぜ小出さんという学部長はそこまであなたに言ってくれたのかな？

泉　団体交渉の親玉同士で、私と小出さんが全学生の前で1対1で討論したこともあったからじゃないですか。小出さんも、実は当時東京都知事選の革新系候補

として名前が挙がるくらいのリベラルな方でしたから、中曽根行革の片棒を担ぐのもどうかと思っていたのかもしれません。私の突き上げにしんどそうな顔していました。私も立場上、バチバチ戦っていましたが、人間として小出さんが好きでした。

田原　結果として受理されなかったけれど、受理されていたら退学だったわけです。せっかく地元の期待を背に東大行ったのに、皆に申し訳ないとか、もったいないという気持ちはなかった？

泉　そこは私、ベースが漁師の子なんですよ。親父は小卒で漁師、オカンも中卒で就職。オカンの家系だって小卒の漁師だから。私の同級生も含め、みんな小学校、中学校出たら漁師して、魚を取って生きているわけですよ。たまたま自分が思うところがあって、高校にも大学にも行ったけれど、それは仮の姿というか。辞めたらもともとの漁師に戻るだけの話なんです。

田原　失うものがない？

泉　初めからなんも持ってないもん。失うものはないけど、夢というか、志だけは高く持ち続けていたい、という人ですから。ただそれだけで人の共感を得ながら道を開いてきたようなタイプですから、そこを失ったら終わりで、自分の生き様自体が、ある意味、選挙活動みたいなものですかね、私の場合。

日本に本当の革命がない理由

田原 当時学生運動と言えば、セクトとの関わりは？　中核とか革マルとかあったでしょう。

泉 私、人生一貫して完全無所属です。どこのセクトにも政党にも頼らない私たちだけの選挙でした。寮委員長選で私が主張したのも「自分たちの寮のことは、住んでいる自分たちで決めればいいんだ。正しいか間違ってるかは、自分たちで決めるべきだ」という自己決定論。それがキャッチコピーでした。

田原 よくそれで民青や中核派から突き上げられなかったね。

泉 中核と革マルからは、何度か屋上に呼びつけられたこともありました。

田原 当時はまだ内ゲバが残っていたでしょう。下手したら殺されたかもしれない。

泉 ぶっちゃけ、ありましたけど、怖くはなかったです。これも危ない発言しますけど、イスラム過激派とかで子どもが爆弾抱えて自爆テロ行きますやんか。私すごくわかりますもん。自分でよかったら爆弾抱えて死ぬぐらいの覚悟してましたよ、その当時。だから中核派の連中に呼びつけられても、「おまえら本気じゃない」と反論してたんです。中核派も当時爆弾闘争に少し手を染めてましたが、「もっと真面目に戦え！」と。「中途半端にやっているふりするな、爆弾ごっこやっている場合ちゃう！」って言ってたから。

田原　対する向こうの反応は？

泉　言い合いになりますよ。「こっちもやってる！」とかね。それに対しては「ほんまに世の中を変えるんだったらもっと本気で変えてみろ！」と啖呵切りましたね。私は、ほんまに世の中変えなあかんと思ってたので。

田原　当時の泉さんに会いたかったね。ぼくもまた、学生運動は絶対やるべきだと思ったけど、民青や中核のやり方は違うと思ってた。ところでね、なんで日本に革命がないと思う？

泉　なんでないんですか。

田原　はっきりしている。天皇制だからよ。天皇制というのは「不易と流行」で言えば、不易なの。変わらない権威なんだ。だから欧米みたいな革命が起きない。

泉　そうなんですよね。権威なんですね。日本という国はずっと権力と権威の分割

田原 を図って、権威に天皇を飾りながら、世俗的権力がその取り合いをしてきた。面白いのはね、こういう形で天皇制を持続させたのは、源頼朝なの。頼朝は日本の歴史で初めて武力で天下統一したが、その際になぜか天皇を横に置いた。権力と権威を並べることで安定性を保ったんだね、頼朝は。以後みんなそれを真似た。例えば幕末に薩長が徳川幕府をつぶし、名もない、力もない16歳の少年を上にもってきた。これが明治天皇です。

泉 日本は権力と権威を分け、権威を上手に使いながら、自らが批判を浴びない状況を作るのが上手だと思います。ただ、これが一番悩ましい。民衆が1回も主人公になってないんです。

田原 そこはあるね。突っ込んで聞くと、どんな天皇観ですか?

泉 うーん、天皇のこと語ったらもうそれこそ「朝生」じゃないけど、深いですね。私自身としてはそもそもは市民が主人公派ですから。「市民が主人公」と全く違う概念から来てる天皇制に対する違和感は昔からありますね。ただ、違和感を持ちながらも、さっき言ったような権威というものの重要性をわかってもいる。私も弁護士なんで痛感したんですけど、裁判所が死刑判決を出す時にジーパンで「死刑」と言うのはダメなんです。しかめっつらの裁判官が黒い服で「死刑」と言わないと死刑は成り立たないんです。笑顔で死刑と言ったらダメなんです。

田原 「らしさ」という権威が必要ってこと？

泉 つまり「らしさ」という権威と、「裸」の権力というものは両方必要なんです。だから明石市長の時も随分それを使いました。裸の権力の行使と、それがどう見えるかというのは両方大事で。正しいことをすることと、正しいことをしてると市民が思えることが両方大事なんです。

チェ・ゲバラの心境に近い

田原 なるほど、「らしさ」「権威」としての天皇観ね。話を戻すと、ぼくもね、若い時に当時は共産党系とね、中核みたいな反共産党系と関係があった。で、ぼくは中核を支持したんです。

泉 私も18、19の時に中核や革マルや色々お付き合いもありましたが、さっきも言ったけど、おまえら本気で政府転覆を考えてんのかと腹が立った。

田原　考えてないね。アナーキーであって権力を取る気は全くない。むしろ、反権力ということでプライドを維持している、というような。

泉　自分のプライドとか、いらないんですよ。政治家っていうものは自分が叩かれようが、国民の笑顔があれば、別に自分が悪者になっていいと私は思ってるんで。権力っていうのはドロドロしてるから、そんな綺麗事だけで権力取れるわけないんであって、もっとリアルな権力奪取を考えないと。

田原　ここがね、あなたの一番すごいところ。あなた以外の反体制は、皆反体制であるけど、権力奪取を考えてない。反体制であることの自己満足で終わっている。ところで、あなたが影響を受けた政治家ないし革命家は誰かいたの？

泉　うーん、私は誰かに憧れたり目指したりではなく、自分自身の目的意識が強い人間なので、目的は絶対達成する。目的を達成した自分の役割はいったん終わりだから、次の役割を見出しに行くって感じかなあ。……そういう意味では、いますね。います。今、思い出した。

田原　誰？

泉　チェ・ゲバラです。キューバ革命をして、ゲバラは銀行総裁になるけど、すぐに辞めてボリビア行ったわけですが、私の深層心理的な部分は完全にゲバラです。自分の役割、革命一個やったら次の革命に行くって感じで、自分は最後殺されてもいい。ゲバラも同じことを言ってた、といいますね。ほんまかどうかは知らんけど、気持ちは近いです。

田原総一朗の挫折

ドロップインの生き方を鷗外から学ぶ

泉 田原さんは終戦後の原体験を経てから、一貫してジャーナリストを目指したんですか。

田原 いや、本当は小説家になりたかった。

泉 田原さんが小説家ですか？

田原 中学生の頃から憧れていたのは事実です。教師に小説家になるにはどうしたらいいかと聞いたこともあった。良書の多読とか、筆写とか言われ、倉田百三や山本有三を読み、小説めいたものも書いていました。

泉 どんなもん、書いたんですか？

田原 「憧れの甲子園」というのが処女作です。戦争体験を描いたのね。野球少年が空襲で家族を失い東京の伯父を頼って上京、甲子園を狙う野球青春物語だった。ぼくは野球少年だったんですよ。木を削ってバットを作り、石に布を巻いてボールを作り、グローブは母に縫ってもらった。そんな体験を小説化しました。

泉　高校時代には文芸サークルを立ち上げてね。皆でよく文学論議を戦わせた。同人誌も出し、ぼくも何本か出品した。芥川龍之介と森鷗外を読み込んだね。

田原　文学青年だったんですね。

泉　鷗外の作品が好きで読んでいたのですが、振り返ると、いつの間にか鷗外自身の生き方に強い影響を受けていました。鷗外は軍医で、軍医長になるまで、体制内にいながら、書くことは非常にラジカルだった。平気で天皇批判までやっていた。

当時、ドロップアウト（社会的・集団活動や組織から落ちこぼれたり、管理社会におさまらなくて枠の外に出たりすること）という言葉がはやったんです。それに比して、鷗外の生き方は、ドロップインではなかったのか、と。組織の中には残るが、その中でぎりぎりのところまで自由に、反骨に生きる。これはぼくの人生の指針になりました。

田原　どこでジャーナリストへ方向転換されたんですか？

田原　何としても作家になりたい、という気持ちはもう止めようがないところまで来て、家族に無理を言って、作家の登竜門と言われていた早大文学部に入ったわけ。でもお金がないから最初の3年間は早大二文（夜学）で、昼間は交通公社で働きました。同人誌を掛け持ちして、20本ほど習作を書いた。夢は文学賞を取って作家でデビュー、大学は中退することだった。

ところが、全然評価を得られない。ある同人誌の先輩の一言が効いたね。ぼくがこれだけ努力しているのにと訴えたんだよ。それに対して「でもね。努力というのは、文才のある人間が一生懸命やることであって、君のような文才のない人間が一生懸命やるのは努力とはいえない。それは徒労というんだ」と。これには参った。才能と言う1つの大きな壁にぶつかったわけだ。

泉　そこであきらめはったんですか。

田原　まだあきらめきれない。ただ、運命というか、そこで石原慎太郎と大江健三郎に出会ってしまったんだ。彼らの小説を読んでしまった。石原とは、上京2年目だ。本屋に「石原慎太郎『太陽の季節』文学界新人賞」の短冊があった。つい手に取り一気に読んでしまった。その筆力と巧みな時代描写力に驚いた。大江とは彼の『死者の奢り』を読んだ時だね。その文章力に圧倒された。モチーフ自体は、ぼくも石原も大江も変わらないんだ。だけど、ぼくには彼らのような想像力がなかった。要するに先輩の言う「文才がある」とはこういうことなんだと分かった。完敗でした。

泉　完敗ですか……。

田原　この2人を読んでぼくの小説家志向は完全に挫折しました。今になってみれば、これはぼくにとってはありがたいことだった。慎太郎や大江のおかげで、ぼくはいつまでたっても夢を追いかけるようなことはしなくて済んだんです。二度目に結婚した女房・村上節子がぼくの早稲田時代の同人雑誌を読んでつくづく言ったものだ。「あなたは、作家にならなくてよかったわね」と（笑）。まさにその通りだったんだと思う。

第3章

紆余曲折——人生はローリングストーン

泉房穂の紆余曲折

犬に食われる人間を見た

田原 学生運動以後、政治の道に入って明石市長になるまで、泉さんは実に紆余曲折な道のりを歩んでいます。まず、退学せずに大学に戻って、その後どうしたの。

泉 大学でのストライキに失敗した後、学部は教育学部（教育史・教育哲学コース）に進学しました。ただ、その間は学校行かんで、バックパッカーで海外に行きました。カバン1つ、寝袋1個でインドに飛んで、もう、死んでもかまへんわ、と思って3か月くらい放浪しました。

田原 小田実の「何でも見てやろう」という心境ですか。

泉 「何でも見てやる」ほど貪欲じゃないです。というより、もう嫌になっててね、人間とか社会が。

田原　それは一連の学生運動で？

泉　はい。実は、私が一番慎重派だったんですよ。リーダーだから玉砕は嫌だった。戦争は負けたら死ぬんだから、戦をする以上は負けるわけにはいかない。ストライキするにしても、勝ち切れる自信がなかったから「交渉して、一定の目標を獲得して、折衷案でもいいじゃないか」と周囲を説得していたんです。そうしたら「おまえ、何言っているんだ、何、怖気(おじけ)づいているんだ」と総スカンですわ。だから、「おまえら本当に戦うんか」「戦うわ！」「戦って負けたらどないすんねん」「大学辞める！！」「ほんまに辞めるんか」「辞める！！！」って言ってストライキに突入したのに、結果、退学届出したの、私だけです。もう、仲間の連中が許せなくてね。おまえら、正義のために大学辞めると言ったんちゃうんか、と。そこから後に私が司法試験に通った30歳の時に当時の友達の1人が「泉、お祝いさせてほしい。もう和解したい」と連絡してくるまで、10年間音信不通でした。

田原　それで人間不信のような状態になって海外に出たと。

泉　もううんざりしていたけど、ガンジス川のほとりで人間を燃やすのを見たんです。藤原新也さんというカメラマンの写真集があって、「人間は犬に食われるほど自由だ」というあの写真に惹かれたんですわ。

田原 犬が人の死体を食ってるやつだね。藤原新也の『メメント・モリ』(情報センター出版局　1983年)だ。当時としては衝撃的な写真集でした。

泉 あの写真の風景が見たいと思ってガンジス川のほとりに飛んだんです。犬が人間をほんまに食うとんのやろかと思って。

田原 見れた?

泉 見れました、あの通りです。キャンプファイヤーのように木を組んで、下に並んだ死体を順番に燃やしてるんですよ。大体1人燃やすのに3時間かちょっとかかるんですよ。ちゃんと燃えないんです。脚なんか燃え残るから。

田原 残っちゃうのね、どうしても。

泉 もう淡々と、落ちた脚をまた火に戻すんだけど。犬が周りで待ってて、犬が人間の肉を食うんですよ。それって全然普通にガンジス川で子どもたちが遊んだり、沐浴してる横で人を燃やしてるんです。その一体感が、生きると死ぬなんて隣合わせで、1時間後には死んでいてもしゃあないなぐらいの空気感の中でね。チャイというインド独特のミルクティーを飲みながら、人が燃えるのをずっと3週間ぐらい見ていました。毎日ね。時間だけ有り余るほどありましたからね。それでだいぶ気持ちがほぐれて、どうせ人は死ぬし、かまへんかなと思ったんがその頃かな。

田原　インド特有の死生観ですかね。

泉　その後どうしようかと思って、ボーンと靴を空に蹴り上げて、向いた方向に行こうと思ったら西向いたんですわ。そんでパキスタンに入りました。地図も持ってなかったし、そっから抜けるのが大変でしたね。もう、しゃあないわと思って、知っている地名はテヘランしかないから、「テヘラン、テヘラン」言い続け、バスを乗り継いだんですわ。終点まで行けば寝袋で寝て、また朝一番のバス乗ってね。その繰り返しでした。

田原　パキスタンを横断して。

泉　横断してイランに入り、そこも抜け、トルコのイスタンブールからぐーっと上がっていって、最後アテネまで行きました。

田原　お金はどうしたんですか。

泉　お金なんか要りませんがな。一泊するといっても日本円にして300円ぐらい。ホテルに泊まるわけじゃなし、寝袋で寝るだけ。食いもんなんてそのへんにあるもん食うてるだけだから、何もかかりませんよ。関西弁で「それくれや」言うて食うてるだけだからね。後にみんな「怖くなかった？」って聞くけど、たぶんインドやイランの人のほうが私を怖かったと思いますよ、髭もじゃで、怖いもん知らずでしたから。

NHKに入ってはみたけれど

田原　海外放浪していた時期は東大にまだ在学中ということですよね？　教育学部の中でもなんで哲学に行ったの？

泉　哲学や社会思想史、ルソーとかその辺りが好きだったし。もちろんマルクスとか一応読んでいましたけど。法律とか経済とかそんな上っ面でしょうもない、人間の根っこ、社会の根っこ、社会の本質というものは何なのかと。なぜこの社会はこんなにも理不尽なのか、なぜ人はこんなに不平等なのに優しくなれないのか、というところが知りたかったんです。根っこを改善しないと、根本的な社会変革はできないと思ってたので。

田原　大事なのは根っこだね。

泉　基本的には革命家でしたから。先ほどのゲバラの話ではないですが、子どもの頃から革命したかったんです。政治家になりたいというよりは、「自分の故郷を優しくしたい」という言い方にしてますけど、基本的には革命家ですわね。今の制度のあり方そのものを根本的に変えない限り、みんなの幸せは来ないと思ってましたし、今やっていることにも一応繋がってますよね。

田原　その泉さんが、東大卒業して最初はNHKに就職した。どうして？

泉　弟の障害のことがあり、まずは、困ってる人がいることを世の中にもっと知ってもらうことから始めたいと思ったんですね。障害者福祉などのテーマを取り上げられるメディアで仕事してみたいと。朝日新聞も受けましたし、他もいくつか受けましたけど、やっぱり映像の持つ力を信じたんですね。そういった番組を流すには、民放よりはNHKの方がいいと思ったので。反権力やっていた人間が国営放送みたいなところに行くのかっていう引け目も感じながらでしたけど。

田原　それにしてもNHK、よく入りましたね。学生運動の前歴をチェックされなかった？

泉　どうもチェックされていたようですね。最後の役員面接でクレームがついたようです。同期200人くらいいましたが、最後の最後に私1人内定が出なかったんですね。ただ、当時の人事部長さんが掛け合ってくれたようで、1週間遅れで採用になりました。

田原　なんで、人事部長がそんなに泉さんを買ったんだろう。

泉　自分で言うのはおこがましいんだけど、昔から熱烈に応援してくれる人がいるんですよ。おもろいやつやと思うんでしょうね。

田原　個性がはっきりしているんだ。NHKは入局したらまずは地方回りだ。福島放送局に赴任ですね。どんな仕事をされたの？

泉　やはり福祉の取材をしたいと。リアカーで廃品回収している障害者の小規模作業所や、障害者の周りで応援してる方々を取り上げたいと思って、取材プランの提案をしましたけど、すぐには採用されませんでした。

田原　原発の取材もトライしたとか。

泉　福島放送局だったので東京電力の取材をしたいと言ったんですが、上司から原発なんか無理だと言われました。思うところがあって入局したのになかなか仕事として結実しない。そんな悶々とした気持ちから、1年で辞めてしまいました。やはり政治家になろうと思って、また明石に戻るんです。そして、当時ダイエーの中内功さんが神戸に立ち上げた流通科学大学に社会人入学で1期生として入りました。

田原 政治家になろうとしたのではなくて？

泉 自分には力も金もない。何もなかったんで、ダイエーに潜り込んで、ダイエーを仕切ってやろうと。ダイエーを乗っ取ってやろうぐらいのことを考えていました。

田原 当時はダイエーが勢いのあった時代だ。

泉 そうです。私もまだ考えが浅はかというか、せこくて、ダイエーを味方につけて、ダイエーのお金で政治をやるんや言うてました。大学創るくらい金があまっているんだからダイエーに出させたらええって。しかも大学生は暇やねんから、選挙活動に使ったらええねん言うて。それにはうちの親父が激怒して、なんという発想をするんだと。わしはおまえのしたいことを応援しようと思ってるけど、そんなことは応援できひんと言うて、漁師のくせに漁に出なくなって家に籠り、ハンガーストライキを始めて。最後、ものすごい迫力で「帰れ！」と言われて、東京に帰ることにしたんです。

田原 親父さんに追い出されたわけね。東京に戻ってどうしたの？

泉　高田馬場にあったパチンコ屋でバイトをしました。汗をかく労働がしたくなったんです。朝5時に出勤して、10時の開店までの間にフロアにへばりついて、床のモップ掛けしたり、台にへばりついたチューインガムを取るようなことをやってました。それを3か月くらいやってたんですが、友人に「いつまでこんなことしているんだ」と言われて紹介されたのが「朝まで生テレビ！　スタッフ募集」のお知らせだったということです。

石井紘基さんの秘書に

田原　その後「朝生」のスタッフになって、しばらく一緒に仕事するわけだ。「朝生」スタッフ時代のことは序章でお聞きしたので、その後の話が聞きたい。旧民主党議員だった石井紘基さん（１９４０年11月6日〜２００２年10月25日）の秘書になったんですよね。石井さんといえば、国会で政府支出の無駄遣いに厳しく切り込んだ政治家だった。特に特別会計について詳しかった。統一教会、オウム真理教等のカルト宗教問題にも取り組んでいたね。最後は右翼団体の男に刺

泉　殺されてしまってね。本当に惜しい政治家だった。
石井さんの『つながればパワー　政治改革への私の直言』（創樹社、1988年）という本をたまたま本屋で手にしたことがきっかけです。市民が手と手をつなぐとパワーになって社会を変えられる、ということが書いてあって、「こんな40代のええ年したおっさんが、市民の力を信じて敢然と挑戦しようとしている」と私はすっかり感動して「あなたのような方にこそ国会議員になってほしい」と手紙を出したんです。そうしたら「会いたい」と返事が来て、実際会ったら「実は選挙に出たいけど誰も応援してくれる人がいないから手伝ってくれ」と言われて、私は「わかりました」と。

田原　それで、仕事を辞めた。

泉　はい。それからすぐに石井さんの家の近くに引っ越し、選挙活動です。毎朝5時半に石井さんの自宅の玄関ブザーを押して起こし、6時から8時までの2時間、選挙区の各駅頭に立って、石井さんがマイクを握り、私がビラを配る。ずっと2人です。1年間ほぼ毎朝やりました。石井さんに「もっと上手に喋れんのか」と憎まれ口を叩きながら（笑）。石井さん、熱ないんですよ、演説に。淡々としていて。

田原 調査能力はすごかったけれど。実際、選挙はどうだったの？

泉 当時は中選挙区で、「泡沫」と言われながらええ勝負しましたけど、次点で落ちました。石井さんに謝ってね。「私が通さなければいけなかったのに、申し訳ない。次こそ必ずあなたを当選させますのでもう1回頑張りましょう」と言ったら、石井さんが「そんなことはできない。次の選挙までの3、4年も君を引っ張れない。君はまだ若い。泉くん、司法試験受けなさい」と言われたんです。「私、法学部ちゃうし、法律は大嫌いですよ」と言うたんですが、「弁護士になって、地元に帰って、困ってる人のために本気で尽くしなさい。世の中の矛盾に気づくから」とね。

田原 いろいろ説得された？

泉 こんなことも言われました。「君は政治家志望だけど、20代、30代で急いで手を挙げたら、ろくな政治家にならない。いろんな経験を積んで40歳くらいで政治家になった方がいい政治ができる」と。「多くの政治家を見てきたけど、みんな落選が怖くて、有権者にビールをついで回ってる。本当の政治をするためには落ちても大丈夫な状況を作れ。弁護士になっとったら家族も路頭に迷わん。騙されたと思って泉くん、弁護士になりなさい。胸張った政治ができるから」と言われて。そんなもんかなと思って、「わかりました！」言うて、26歳の時に司法試験受けることを決めてゼロから勉強を始めました。

田原 すぐ通ったんですか？

泉 いや、相当苦労しました。石井さん、私を騙しよってね、「泉くんは賢いから受けたらすぐ通るよ」と言っていたけど、そんな簡単に通りませんよ。落選から3年後の1993年に日本新党ブームがあって、石井さんがトップ当選したので、「おめでとうございます」と花束抱えてお祝いに行った時、石井さんに「すみません、まだ通ってません」と言ったら「あ、ごめん」って（笑）。その翌年の94年、4回目の挑戦でようやく司法試験に通りました。

司法修習生時代に橋下徹と出会う

田原 その後の司法修習生の時に元大阪市長の橋下徹さんと知り合ったとか。

泉 そうです。95年に司法修習で橋下くんと仲良くやってました。いつも焼き肉食って飲んだくれてて。当時から絶対こいつは将来政治家になると思ってましたね。私も政治やることを決めていたから、よくわかった。当時から彼にはバケモン感が漂っていましたもん。

田原　どんなバケモノ感だったの？

泉　腹の括りが半端なかった。こんな世の中変えてやるという強い思いが……。

田原　あなたと似ているところがあった。

泉　いや、似てるんだけど、違う点もある。いわゆるハングリー系の人間って2つに割れるんですよ。自己責任派と政治責任派とに割れるんです。彼は自己責任派なんですよ。自分が勝ち上がってきたから、周りに対して「おまえらも立ち上がれ」と。

でも私の場合は、弟の障害がありましたから。頑張っても歩けないもんは歩けません、そんな。頑張っても報われないことを知っている。もし自分が他の人間より何かできることがあるとするならば、それは自分のために使うんじゃなくて、みんなに戻していく作業だっていう考えが強いから、そこは彼とは重ならないところです。

田原　重なるところをあえて言うと？

泉　今の世の中変えてやるとか、既得権益をどうにかしてやるとか、権力の取り方、そこは意気投合するんですよ。小選挙区だから予備選やって一騎討ちに持ち込んだら、政権なんか一瞬で変えられる、というところも一致していて。つまり本気でいろんなことを変えられる。変える方法があると思ってるのが一致するんですね。

田原 そういう意味では、2人とも腹が据わっていて、ケンカが強いところも共通している。

泉 司法修習時代、研修所とも大ゲンカしましたね。私は判決書くんだったら障害者のことをわかって判決書けよと思ったので、近くの障害者施設と連携して、ボランティアを送り込んだり、手話サークルを立ち上げたりしたんです。そしたら、研修所で勝手なことするな、と怒られてね。そんなことをしたら司法研修所を退学にするぞと言われたから、してみろと。来年また試験通って戻ってくるから構へんでって啖呵切ったんです。脅されたからって屈しないくらいのタイプではあります。

荒稼ぎか、社会正義か

田原　弁護士としては、どんな仕事をしたんですか？

泉　本当に困ってる人のために尽くしました。私、弁護士になる時に「8倍ルール」というのを自分に誓ったんです。他の弁護士の費用の半分で、倍以上丁寧な仕事しようと。しかも、他の弁護士の2倍以上稼ごうと。となると8倍になりますよね。

ちゃんと稼がないと誰も私の真似をしてくれない。つまり世のため人のために尽くしながらぼろ儲けしないと、人はついてこないんです。そこは、明石市長の時も一緒です。市長の時も、商店街とか土建業者に儲けさせないと、人は優しくならないと考えていました。人は「優しくなってください」では優しくならない。人は腹が膨れて、初めて人に優しくする余裕が生まれるんです。〝儲かる街〟にしないと、街は優しくならないと思いましたから、徹底的なリアリストなんですよ。綺麗事で人は動かないですよ。

田原　どのぐらい稼いだの？

泉　私の場合は交通事故や医療過誤の被害者の立場に立って、相手から取ってくる。取った金の1割は弁護士費用として裁判所が認めてくれるんです。だから1億円の訴訟を起こして勝ったら1億1千万円になって、1千万円は私の報酬なんです。依頼者、つまり被害者からは、ほぼ取らなかったです。強い者から金を取ってきて、かなり稼いでました。

田原　それは大人気だったでしょう。

泉　依頼者の数、半端ないわけです。1997年に弁護士登録して、市民活動の支援もやって、2000年に事務所を開いた瞬間に胡蝶蘭がもう50本ぐらい来たのかな。開設後も事務所の前にNPOルームを作って、地域の方々が自由に開業したり、活動したりできるようにしました。郵便代も私が持っていた。コピーもタダで使ってもらってました。

田原　市民活動支援センターを法律事務所に併設してたわけだ。

泉　そうです。ものすごい人気で。
ただ、私が弁護士として受けるのは2種類の仕事だけに限りました。1つは荒稼ぎできる訴訟か、もう1つはお金がなくてもやらなきゃいけない社会正義の仕事か。その2つだけです。その中間にあるような普通の仕事は全部知り合いの弁護士に振りまくってプレゼントしました。私は荒稼ぎする事案と、困ってる人を助ける社会正義事案だけ。

田原 正義事案というのは具体的にはどんなケース？

泉 こんな案件がありました。知的障害のある青年が交通事故に遭って足を引きずることになってしまった。だけど、喋れない、コミュニケーションが取れないから診断書を書いてもらえない。診断書がないから保険会社が賠償金を払ってくれない、というのがありましてね。そんなの許せない、と思い、私が裁判所に訴え出て、事故前に歩けていたという証人を呼んで、本人に法廷で歩かせて、きちんと賠償金取りました。
サラ金相手に過払い金訴訟もやりました。たとえそれが3000円でもやりました。10万円の裁判経費をかけてね。少額でもサラ金には利益は残させない、という姿勢でした。サラ金業者からは随分警戒されましたわ。彼らからすると私、「危ない弁護士」の最高ランクですよ。

田原 サラ金業界から目をつけられた？

泉 だから私、維新の吉村洋文大阪府知事や橋下徹さんのその面については「ノー」なんです。彼らはサラ金側の弁護士だから。吉村くんは武富士のスラップ訴訟なんかもやっていたしね。私は逆にサラ金に対しては、自腹切ってでも戦いました。その代わり交通事故、医療過誤の被害者を救って、保険会社から金を取ってた弁護士です。

田原 サラ金を敵に回して危ない目に遭いませんでしたか。

泉 そこは学生時代から中核派や革マル派に囲まれながらケンカしていたクチだから。腹の括りはその辺の弁護士と違います。

田原 弁護士は何年やっていたんですか。

泉 12年かな。6年間弁護士をやって石井さん亡き後に40歳で国会議員になり、その国会議員を辞めて42歳でまた弁護士をやって、47歳の時に明石市長初当選です。

田原 紆余曲折時代が終わり、いよいよ子どもの頃から志していた明石市長へのチャレンジとなるわけですね。

田原総一朗の紆余曲折

三流局だからよかった

泉　田原さんの場合は、紆余曲折のイメージがないですね。一貫してジャーナリスト、テレビ人という印象です。お聞きしたいのは、先ほどのお話ですと例の終戦体験でメディアに対しては相当不信を持たれていたと思うんですが、なぜメディアの世界を目指されたのですか?

田原　やはり、自分の目で見たものしか信用できないということと、小説家を目指していたくらいだから文章を書いて身を立てたいという思いがありました。そこで就職時には、朝日新聞、ＮＨＫ、ＴＢＳ、日本放送などメディア中心に11社受けたら全部落ちました。なんで全部落ちたかと言うと、面接でぼくは一貫して反体制だった。「今のマスコミを変えなきゃいけない!」って、毎回言っていました。これで落ちたんだと思う(笑)。

泉　ああ、そこは私と共通していますね（笑）。

田原　最終的に拾ってくれたのが岩波映画でした。岩波映画は親会社が岩波書店でしょ。ぼくのその反体制を買ってくれた。「今の自民党政権を変えなきゃダメだ、権力を変えなきゃいけない」というのを買ってくれたわけ。

泉　田原さんが就職する時というと、ちょうど60年安保の頃ですか？

田原　そう、入社した時はね。だから、仕事するよりむしろデモに行っていたくらいです。

泉　60年安保か70年代の時代やから、ちょうど世の中も言うたら元気な時代ですわね。イケイケドンドンの。

田原　ただ、ぼく自身は岩波映画では鳴かず飛ばずでね。そんな時に新たに今のテレビ東京（東京にチャンネル／当時）ができたんで、試験受けて入ったの。テレビ東京は業界でも後発組。ある意味「テレビ番外地」のようなところだった。企画を出しても1個も通らない。スポンサーもつかない。だから自分でスポンサーを見つけてくることにしました。

泉　そういう能力もあったんですね。ジャーナリストとしての能力もあるし、営業能力もあるんですね。できる人はあれもこれもできますね。

田原　やる気が大事なんですよ。それでさらに面白いのは、テレビ東京は三流局だから、NHKやTBSみたいな番組を作っても誰も見てくれない。そことは違う番組を作れと。

泉　そういう意味では「朝生」もそうですけど、ゼロから作りはるのがお得意ですね。ないところから作るのが。一貫して筋通してはって、主流というよりは、どちらかというと立場の弱い状況でやってはりますね。

田原　でもね、NHKやTBSができない番組って危ない番組なの。まともな番組作っても誰も見てくれないのでね。警察に睨まれる番組。で、ありがたいことにね、テレビ東京は上の方も危ない番組作るの、みんな認めてくれたんです。で、ぼくは実は2回逮捕されてます。警察にね。当時は逮捕されても放送もできました。ありがたいことです（笑）。

泉　今の時代では難しいでしょうね。コンプライアンスがなんたらかんたらと。

田原　それと、三流局だからよかったんです。

泉　逆に立場の弱さとか、後塵を拝している状況を逆手にとって、それまでみんながやらなかったことを形にしていったのが当たった、ということやと思います。

田原　まさにそう。視聴率を稼ぎ、スポンサーを呼び込むためには、他局が絶対やらないようなものを作る。つまり、過激な題材を元に、やらせ的な演出をして、その経過まで全て撮影する、という手法を取った。それで作ったのが「ドキュメンタリー青春」という企画だったの。まずは、スポンサーを確保、東京ガス1社提供という枠を取った。週1回30分番組。ぼくを含め4人のディレクターが交代で演出する。

泉　どんなの撮らはったんですか。

田原　今振り返ると、よくぞ取り上げた、と今のぼくでも思うようなラジカルでアナーキーな題材ばかりでしたね。60年安保後の大学紛争や全共闘運動が盛んな時代であったこともあったけどね。特別少年院に入所している少年が出所して更生していく過程をカメラで追っかけたり、寺山修司率いる劇団「天井桟敷」の女優だったカルメン・マキと若い男優の同棲生活に密着取材したり、バリケード中の早大にピアノを持ち込み、各セクトが見守る中、ジャズ・ピアニストの山下洋輔にピアノを弾いてもらうとかね。ドロップインどころか、ドロップアウト的作品ばかりです。

「原発」「電通」タブーに挑戦

泉　そんなに活躍されていた田原さんがなぜテレビ東京を去ることになったんですか。引き抜きですか?

田原　とんでもない、クビになったの。

こういうことなんだ。当時原子力船「むつ」問題と言うのがあったの。1968年に着工、69年に進水した日本初の原子力船なんだけど、これが青森の沖合で出力試験実施中に放射漏れ事件を起こし、大騒ぎになった。青森の漁民は出て行け、と船による海上ストライキをするし、国は金で収めようとする。ぼくはあまり関心はなかったんだけど、ぼくの友人がこう言った。「これからは原子力が台風の目だ。国家権力と人民があちこちで衝突する。これは商売になるぞ」とね。ぼくも関係者を取材しているうちにこの世界が面白くなってきた。全国の原発立地地域にも何度も足を運んだ。驚いたね。まさにぼくの友人が言っていたように魑魅魍魎の「原子力戦争」なるものが展開されていた。それを月刊誌『展望』(筑摩書房)で、76年1月号から4回ドキュメントノベルとして連載したんです。

泉　原発問題にはその時から食い込んで取材してはったんですね。その後の「朝生」の原発特集もそういった前段というか、蓄積があったからこそですね。

田原　ぼくは、その連載中に、市民運動の中に原発推進運動があることに気がついたんだね。しかも、背後では電通が、その仕切り役を演じていた。その実態を連載の中で暴いてしまったんですよ。怖いもの知らずだね。それで、電通がテレビ東京に怒鳴り込んできた。あんたの局にはスポンサーをつけないぞと、脅しをかけてきたんだ。ぼくには上司から露骨に圧力がかかってきた。「会社が君のために重大な損失を被っている。連載を打ち切ってほしい」ということだった。

泉　絵に描いたようなお話ですね。それでどうされたんですか?

田原　ぼくは「考えさせてほしい」と態度を保留した。要するにのらりくらりとかわし続けていたら、数日後にぼくの上司の部長、局長が譴責処分されることが社内に張り出されたんだ。ぼくに対する管理不行き届きということだった。態度を保留しているぼくに対する見せしめだったのでしょう。『展望』の連載は意地でも続けるつもりだったので、会社を辞めるしかなかった。42歳、1977

年1月31日付けでの退職だった。岩波映画、テレビ東京と、ぼくのサラリーマン生活の去り際でした。

遺恨試合が始まった

泉 そして、ジャーナリストとしての新しい人生が始まるわけですね。

田原 これはね、言ってみれば遺恨試合ですよ。転んでもただでは起きない。テレビの仇は文字で返す、ではありませんが、電通問題で報復戦を仕掛けました。電通のことはいつか書かなきゃいけない、と思っていた。ただ、壁も厚かった。文藝春秋、講談社、小学館、どこもかしこも電通をやりたいと言ったら、「ノー」ですよ。たまたま朝日新聞が受けてくれた。ぼくは電通に取材を申し込んだ。これを、当時の広報担当の専務であった木暮剛平（その後社長、会長）さんが受けてくれたんだね。小暮さんは資料やデータも提供してくれた。そこで書き上げたのが、『電通』（朝日新聞社　1981年）でした。

泉 確か田原さんは『電通』の前にも『原子力戦争』（筑摩書房　1976年）を書

かれていますね。タブーに挑戦する姿勢はずっと一貫していますね。

田原　ぼくが世に知られるようになった仕事がもう1つあるんです。それが「アメリカの虎の尾を踏んだ田中角栄」(『中央公論』76年7月号)というレポートね。当時のメディアは角栄叩き一色だった。戦後初めて首相経験者が逮捕された。それがロッキード事件でした。正義の味方である東京地検特捜部が、金権にまみれた巨悪政治家に、正義の制裁を加える、という活劇みたいなもんでね。ぼくは生来へそ曲がり。あの終戦時の体験があるもんだから、世の大勢の言うことには、ちょっと待てよ、という勘が働く。このロッキード事件も、米国と地検のシナリオで本当に正しいのかどうかを疑いました。石油業界、その他を取材して、1つの背景として、アラブを含め世界の石油、ウラン燃料の供給源を抑え込もうという米国の国際的なエネルギー戦略があり、そこから自立を図ろうとした田中角栄が、その逆鱗に触れた、つまり米国の虎の尾を踏んで、逆襲を受けた、という仮説が成立することがわかった。

泉　ロッキード事件の背景については諸説いろいろありますね。

田原　ぼくのレポートは作家の丸谷才一らが褒めてくれ、『文藝春秋』や『月刊現代』といったメジャーな雑誌からも原稿の依頼がくるようになった。そこからぼくの本格的なジャーナリスト生活がスタートするわけ。『通貨マフィア戦争』（文藝春秋　1978年）では、日本が変動相場制になったのを受け、通貨が刻一刻と変化する中、その価値を決定する米英日仏の金融当局者たちの極秘裏の会合を追っかけた。『週刊ポスト』ではエネルギー問題の記事を執筆、ドバイ、アブダビ、サウジアラビアを駆け回った。『文藝春秋』に掲載した「韓国　暗い癒着からの離陸」では、韓国経済の意外な発展ぶりをレポートした。その他、官僚論、検察、創価学会、左翼、風俗、メディア論、健康問題、生命科学、プライベートの自分の自伝的なもの、討論物と、面白いと思うものはどんどんと取材し、連載し、本にしていきました。
ところで、泉さんはＮＨＫやテレビ朝日といったメディアにいたくらいだから、ジャーナリズムの方向で身を立てるような気持ちはなかったの？

泉　そこは私の場合シンプルで、世の中を変えたいという思いは何も変わってなかった。その思いを、メッセージを発する形で世論喚起するのがメディアだし、個別救済するのが弁護士だし、制度として変えていくのが政治家なんですね。現れ方は違うけれども、気持ちとしてはどう変えるか、だったんですわ。
だから、田原さんも私も根っこの思いは同じなんじゃないかと思いますね。

第二部

政治の美学

第4章

闘争――仕事はケンカだ

泉房穂の闘争

子どもの予算を倍にした

田原 さて、ここからはいよいよ泉さんが10歳の時に誓った明石市長になってからのことをお聞きしたい。泉さんが明石市政12年で成したことの一番の仕事は、やはり子どもに特化した行政、少子化対策だと思う。自治体行政、やるべきことがゴマンとある中、なぜこの問題の重要性に気づき、かつ大きな解決に持ち込めたのか。選挙民の人口比率を考えると、高齢者向けの対策を行ったほうが得票数が稼げる。それが今の日本の「シルバー民主主義」です。どうやって子どもへの大胆な予算の切り替えを実現することができたのか。そこを聞きたい。

泉 日本には政治はなかったし今もない。日本に政治家はいない、というのが私の意見です。なぜか。困っている人に手を差し伸べるのが本来の政治の役割であるはずなのに、日本ではそれをやってこなかった。

田原　日本には政治がなかった？

泉　古くから農耕民族、村社会で、家族支援は村や地域の仕事で、行政や政治が関わらなくてもいい、むしろ関わらないほうがいいと。そんなの、世界の中で日本ぐらいです。子どもが親の持ち物というのは。煮るなり焼くなりご自由に、親が虐待しても介入しなかったし、障害のある子どもが生まれても親の責任なので、親が一定程度の収入があったら行政は支援してこなかった。私自身も、弟の障害で自己責任・家族責任の世界に押し込められていた。子どもの問題と障害者をどうするか、という問題は一緒で、本人責任でもないし、家族責任でもない、社会全体で支えるのが政治だという考えが根っこにあるんです。

田原　弱い存在に寄り添う政治、ということですか。

泉　特に子どもに関しては、主要各国に比べ日本だけが、子どもに費やすお金も、子どもに寄り添う職員数も半分以下だという統計数字を見てました。明石では、これを目に見える形で変えてやろうと思い、12年かけて子ども予算を125億円から297億円と2・4倍に増やし、子どもを担当する職員数は30数名から150名まで約5倍に増やしました。

田原　明石がすごいのは、18歳までの子ども医療費の無料化、第2子以降の保育料完

泉　全無料化、おむつ定期便、中学校給食無償化、公共施設の入場料無料化という5つの所得制限なしの子育て支援策を実現したことです。

子どもがいる家庭には新たな負担は求めない。ディズニーランドの年間パスポートと同じで、すでに税金や保険料を前払いでいただいているんで、後は自由に好きなだけ遊んでください、という考えでやってました。

こういった政策をセットでやると、子どもを産みたい人が増え、子育てに安心が生まれるんです。ポイントは2つの安心です。1つは「お金の安心」、もう1つは「もしもの安心」。

「お金の安心」というのは、一時的な現金給付ではなく、医療費、保育料、給食費、遊び場の費用、おむつ代は要りません、という費用負担の無償化なんです。18歳まで医療費かかりません。2人目以降3人、4人、5人産んでも保育料かかりません、と。今、日本がやってるのは一時的な目先の給付であって、これでは意味ないんです。そんな現金を渡し、札束でほっぺたをひっぱたくような政策じゃなくて、継続的な安心を提供することがポイントです。

田原　「もしもの安心」のほうはどんなことですか？

泉　例えば、子どもが病気になったら病児用保育で預かります。親のあなたが病気の時もあなたの子どもを預かります。あなたのお子さんは、私ども明石市がおじさん、おばさんですと。遠い昔の大家族の代わりを明石市がするという考え方です。病児用保育施設はなかったので、私が市長になってからどんどん作りました。それだけではありません。離婚した時には、多分子どもの養育費でお困りでしょう、それは明石市が立て替えて払います。つまり、人生生きていればいろんなことがあるんだけど、明石だったらお金も大丈夫だし、いざという時もきっと助けてくれると。

この2つの安心を提供することを明石市の方針とし、それに沿って政策をやっていったんです。

子育て民主主義とは

田原 今よく日本の政治は「シルバー民主主義」と言われますが、明石は「子育て民主主義」に転換した、ということですね?

泉 子どもを応援すれば皆が幸せになる。それが明石のコンセプトです。子ども政策は福祉的な意味もあるけど、経済政策でもあるんです。高齢者対若年層の世代間対立にしていたら何も動きません。よくよく考えてみると、子どもを本気で応援したら、最もリターンが大きいんです。なぜならば、最も生活必需品の多い子育て層がお金を使い、その結果地域経済も元気になり、税収も増え、最後には高齢者対策のお金も生まれてくるんです。子どもを応援するのは、子どもと親のためではなく皆のためだというのが一番のポイントです。

田原 子ども予算は皆のため？

泉 先ほどご紹介いただいたように、医療費、保育料、給食費、おむつ代、遊び場などを無料化しましたが、12年の市長任期の後半戦では税収が増え、お年寄りの認知症の医療費や予防接種代、バス代まで無料化できたんです。

田原 それにしても、それだけきめの細かい行政、どうやって困っている子どもたちを把握したんですか？

泉 自分の子が飯食えずに腹減らして「おかあちゃん…」って言ってる状況を想像するんです。市長というのは全明石の子どもたちのお父ちゃんお母ちゃんと一緒ぐらいの気持ちなんです。明石に児童相談所を作りましたし、子ども食堂も展開しています。腹減らしてる子どもの情報が入れば、明石市が児童養護施設で食事を作って毎日、晩飯届けてるんですよ。明石の子どもで、たった1人でも腹減らしてる子どもがいたら嫌だと。それをシステム化しているんですよ。

田原　システム化というのは？

泉　子どものリスクを早期に把握、マンツーマンで保健師を手当てする。児童手当は漫然と親に渡すのではなくて、子どもの金は子どもにというポリシーで家庭訪問、保健師の数を倍増している。最も死亡率の高いゼロ歳児の命を守るため、おむつを宅配することで、子育て経験のある研修済みの人を派遣して子どもの顔を確認、家庭状況を把握する。もしお母さんが精神を病んでいたらすぐに役所が対応してお母さんか子どもを保護する。1人の子どもの命も見逃さないようホンマに本気でやってきたんです。

田原　それで今の日本の出生率は1・26（2022年）なのに明石市は一時1・70にもなった（2018年）。

泉　明石だったから2人産みました、明石だから安心です、と市民は言いますから。そういう社会は簡単にできるんですよ。難しくなんかないですよ。

田原　ただ、そういう実績が出るまでには、市民の中からも相当な抵抗があったでしょう？

泉　３つの大きな反対がありました。

高齢者たちからは、なぜ我々ではなく子どもなのか、というシルバー民主主義的圧力がありました。当然のことですよね。私は「待って下さい。高齢者予算からはお金を回しません。子育て政策をやったら必ず皆さんにもお金が回って来ます」と説得しました。その金はさっきも言ったけどホンマに来たんです。少し待ってもろうたけど、高齢者対策でも明石は日本一になっています。

商店街は「なぜアーケード作らないで子どもなんだ」と言ってきましたが、「アーケードを作っても客は増えません。子育て層に重点化すれば、彼らの購買力アップで必ず儲かります」と返しました。明石の商店街、今は最高にいいんです。文句は出てきません。

建設、不動産業界からも批判がありました。「公共事業をなぜ抑えた」と怒ってきたんです。でも明石はこの12年で人口が５％増え（29万人→30万6千人）、住宅需要も増えました。今私の顔を見たら建設業界の人が何と言うか。「市長もう公共事業いらん、忙しすぎて」と。

田原　子どもに積極投資することで経済も好循環、その恩恵が巡り巡って、高齢者福祉を含め社会の隅々にまで届く、という「明石モデル」を作ったわけですよ

泉　ね。しかし、なぜ泉さんだけがそこまで思い切った行政を展開できたのか。他の市長もやりたいと思うんだけどできない。

かなりシンプルです。私は市長になる前からずっと思ってるんだけど、ポイントは2つで、権限とサイレントマジョリティーです。まず市長は権限がありまず。方針決定権と予算編成権と人事権があるんです。この権限と市民が味方になれば、できるんです。みんな勘違いしてるんです。市役所を味方につけなあかんとか、議会の多数派とか、嘘です。私は市長になる前から、市役所が全敵でも、議会が全敵でもやれる自信があったので。

田原　泉さんは「政治はケンカだ」と言っている。このケンカはいろいろなケースがあると思うけど、まずは議会と市の職員とケンカして勝った。

泉　勝つに決まってるんですよ。だって権限あるんだから。

市長の判断で一瞬で決まる

田原　泉さんの他に誰もケンカやっていないじゃない。みんな市の職員と議会がなかなか「うん」と言ってくれないと。必ず反対するんだよ。市長は孤立無援なの。そこをどう突破したのか、それを知りたい。

泉　それは童話の『裸の王様』と一緒ですよ。王様はきれいなお召し物を着ているってみんな言っているけど、よう見たら裸なのと一緒で、みんなが「できない」と思い込んでるだけなんです。本当はできるんです。

実際、市長には、方針決定権がある。どういう地域を作るかは、選挙で通った者が市民と約束してやりゃいいだけなんです。例えば、「明石を子どもの街にします。誰１人、取り残さない、本当にそういった優しい街にします」という方針は、選挙に出て訴えて通ったんだから、やればいいんです。

田原　つまり、まずは選挙で民意を得た首長としての方針決定権を前面に出すということですね。

泉　次は「金と人」です。市長は金については、予算編成権を持ってる。役人に対する人事権もあるんです。それを誰も使っていないだけなんですよ。私はその２つを使おうと思ったので、なった瞬間に、役人から上がってきた決裁処理はバンバン蹴っていったわけですよ。

例えば、市営住宅の建設です。これまで50年、60年と慣例でやってきたことに対し、「ハンコ押さないよ」と。「え、作らないんですか」「作らない。私が市長である限り市営住宅は1軒も作らない」とね。なぜか。明石市には県営住宅もあるし、URもある。他市に比べてすでに公営住宅率が高い。かたや空き家がある。それなのに漫然と公営住宅を作る必要はないんです。私が印鑑を押さないと言った瞬間に、お金は何十億円も浮きます。

田原　抵抗されなかったんですか。

泉　もちろんあります。でも「ごめん、もうハンコ押せんから。何を言おうが、泣こうが、叫ぼうが、ハンコは押さない。予算を組んでいたとしても使うな」と言えば終わりです。自宅ポストに「天誅下る」の脅しの手紙も来ましたが、それでも押さない。腹を括りさえすれば、お金はすぐ生まれるんですよ。

田原　ただ、予算には議会の承認がいるでしょう。

泉　予算は2つの方面がありまして、金を使わないということは、市長や知事が決めればいいことで、その瞬間に金は生まれます。次、使うほうは議会の承認がいるから、議会の多数が賛成しないと通りません。大抵、旧来の議会は新任の市長に対して嫌がらせをするので簡単には通しませんけど、圧倒的な市民の応援と市民のニーズに合ってれば、半年や1年、

2年遅れでも通ります。だから明石市の予算は全部通ってるんです。議会への提案はできるんですよ。提案したけど議会が蹴れるかって言ったら、蹴れません。市民のためであれば最後は受けるしかないから通るんです。

田原 この明石モデルが、全国的に広まっていけばいいと思うけどどうなんだろうか。

泉 奈良県の山下真（知事　23年4月当選）くん、仲良しですけど、知事に通った瞬間に執行停止して、何十億の金を浮かせました。そのお金が使える状況です。同じような話です。

田原 他市ではそうなってないよね。

泉 ほとんどの市は積み上げ方式です。各課で予算を決めて、部で集めて、積み上げて、次年度予算にして。場合によってシーリングみたいな形にすることはあったとしても、少なくとも積み上げ方式です。明石は違います。私が「ちょっとちょっと来て。来年から子どもの医療費無料化するから。なんぼかかる。10億か。ほな10億つけて。以上よろしくね」って言ったら3秒でつくんです。

田原 財政当局は了承するんですか。

泉　了承も何も、当局には「来年は税収が10億円落ち込んだと思って。思った？思ったね。以上」。これでもうできる。

田原　繰り返しになるけど、そういうことをやると市の職員や議会が猛烈に反対する。孤立無援になるんじゃないの。

泉　確かに市役所内では孤立無援ですわ。でも街の人は圧倒的支援ですから。私12年の市長の任期が終わった際、それこそ市役所の退任セレモニーは、形式的な普通の退任式ですよ。でも市役所出た瞬間に、びっくりする数の市民が花束持って待ち構えてるんだもん。

田原　役所の内と外では大違いだったと。

泉　でも、私はそれが当たり前だと思っているんです。役人政治というものは右肩上がりの時代には可能だけど、右肩下がりの時代には無理なんです。これまでやってきたことをやめたり、見直さなきゃあかん。前例主義、横並び主義の役人が、見直すわけがないですよ。それをやるのは民意を受けた政治家の役割なんです。別に役人が悪いわけじゃないんです。役割が違うんですよ。だから、役人に対しては「ごめん、これまで頑張ってくれてありがとう。でももう去年で終わりやから。今年は予算つけんからね。ご苦労さんでした。よう頑張った」と言えばいいだけですよ。

総理大臣だってできる

田原 明石市長として泉さんは権限と市民の圧倒的支持で、役人、議会とのケンカに勝ってきた。そういった権限というのは、国政でいう総理大臣はどうなんだろう。

泉 今はあります。確かにかつての総理大臣は権限がなかったんです。でも今の総理大臣は2つの大きな権限を持っています。1つは、公認権です。小選挙区が中心になった選挙制度に変わったため、党総裁である首相の一存で公認、非公認を決められるようになった。小泉純一郎首相が郵政解散の時に賛成しない議員は公認しないばかりか、刺客まで送りこんだ。自民党総裁が所属国会議員に対し、自分の方針に従わせる権限が生まれたんです。

田原 あの郵政選挙の後遺症は重いね。誰も総理に向かって意見を言えない雰囲気、いまだに自民党内には蔓延している。

泉　もう1つは、霞が関官僚に対する人事権です。安倍政権時代に内閣人事局を作り、審議官以上事務次官まで600人の幹部人事を官邸が実質的にコントロールできる仕組みを作りました。官僚というのは、ポストがなければ仕事ができません。人事権者には忖度せざるを得ないんですわ。この権限も使いようによっては相当なことができるようになっている。

例えば、財務省が言うことを聞かなければ、財務事務次官の首をすげ替えて、言うことを聞く人にすればそれで終わり。要は、今の総理大臣は立法府の人事権と行政府の人事権両方とも握っているようなものです。

田原　歴代首相はなんでそれを使わない？

泉　それはやる気がないわけでしょう。やれる、やれないで言ったら、やれます。私はそれをやればいいと思ってるだけで、逆に、できないってみんなが思い込んでるだけなんです。

蚤が体長の200倍もジャンプできるのに周りに合わせた高さしか飛ばないのと同じだし、象が鎖引きちぎれるのに、子象の頃からの思い込みでできないのと一緒で、みんなが思い込んでるだけなんですよ。できないと思い込んでるけど、嘘です。

田原 いい悪いはあるけど、小泉純一郎と安倍晋三はある程度やろうとしたよね。岸田文雄さんは全くやろうとしてない。

泉 おっしゃるとおりで、方向性はさておき、一定程度、人事権を行使したのは小泉さんと安倍さんのお2人です。

小泉さんは公認権を使って刺客選挙をしたのに加え、その前段として、解散に反対する大臣の首をすげ替えて、兼務して解散した。閣僚人事権と解散権と公認権という首相権限を目いっぱい使って自分のやりたい政策をやり通した。ある意味、総理大臣の権限がいかに強力なものであるかを世の中に知らしめた人ですね。

田原 ちょっといい？ 小泉さんが3度目の総裁選に立候補した時にこんなことがありました。当時の幹事長だった中川秀直さんが「小泉は前2回立候補して惨敗。今度負けたら政治生命終わりだ。田原さんどうしたらいいと思う」と聞いてきた。小泉さん呼んで「今までの自民党総裁は田中派の全面的な応援を受けた人間だ。あなたが田中派と真っ向からケンカして、田中派ぶっつぶすと公言するなら、ぼくは全面的に支持する。ただしそれを言ったら政治生命なくなるかもしれない」。そうしたら小泉さん「約束する。殺されても田中派をぶっつぶす。真っ向からケンカする」と。それで総裁になったら田中派のみならず自民党ぶっつぶした（笑）。

泉　小泉さんがすごいのは国民を味方につけたわけです。覚悟が伝わったんです。本気度が。郵政解散直後の小泉さんの記者会見、私も未だに見ますけど、感動的ですよ。ガリレオ・ガリレイの「それでも地球は回っている」という地動説まで持ち出して、郵政民営化に反対か賛成か、国民に直接聞いてみたい、と言ったでしょう。

田原　小泉さんは経済政策を全部竹中平蔵さんに委ねていたが、郵政改革まで竹中さんにやらせた。その竹中さんのところに郵政改革がなぜ必要か、その理屈をぼくと石原伸晃さんが聞きに行ったことがあった。それを聞いて、石原さんに「わかる?」と聞いたら「全然わからない」とね。自民党内の理解はそんなものだったし、多くの人が郵政民営化に反対だった。ところが選挙で勝って民営化しちゃった。

泉　そこは両面ある。前向きにとらえると、小泉さんは総理権限を極限まで使えばここまでできるという事例を残してくれた。ただ今おっしゃったように、郵政改革には私も冷めていて、本当にそんなに重要なテーマでしたかと。今から振り返っても一体あれは何だったのかと思うけど、でもやっぱり国民は沸いたわけです。マスコミも含めて。つまり逆に言うと、総理が腹括れば権限は行使できるし、上手にテーマ設定すると国民も沸きたって、もう圧勝できるんです。

田原 安倍さんについてはどう？

泉 安倍さんは、内閣法制局長官の首をすげ替えて、これまでできないとされてきた集団的自衛権の行使が可能になるよう、憲法9条についての従来の政府解釈を変更しましたね。

田原 解釈変更に抵抗する法制局長官の首を切って賛成の人を長官にした。だから、憲法改正もせずして大きく国策を変更できた。総理大臣の権限がいかに大きいかです。

泉 私が言いたいのは、それをどっちに使うかですよ。権限はあるんです。小泉さんのようなこともできるし、安倍さんのようなこともできる。それをどっちにどう使うかが問題なんです。小泉さんは郵政に使った。安倍さんは安保に使った。私の場合は、国民生活の負担軽減や向上、今の経済を好循環させるために使えばいいと思っています。使う方向性の問題だという感じかな。

立憲・泉氏と国民・玉木氏が感動したこと

田原　市長時代、マスコミから結構ネガティブキャンペーンをされた時期がありましたね（泉氏は2019年2月、職員にパワハラに相当する叱責をしたとメディアに報道され辞職、出直し選挙の結果3選した）。一部の発言を切り取られて炎上しましたが、その時はどうやって切り抜けてこられた？

泉　いや、切り抜けてないですやん。サンドバッグ状態で打たれまくったんですよ。しかも全国区のメディアで取り上げられて、結果、出直し選挙になりました。

田原　いったん辞職した後、最初は選挙に出るつもりなかったんだよね。それが市民の署名運動に励まされてね。

泉　まだ忘れませんよ。赤ちゃんを抱えたお母さんが、寒空の中、署名運動に立ち上がってくれて、その時のキャッチコピーが「今度は私たちが守る番」ですよ。これまで私たちは知らないうちに泉市長に守られてきた。泉市長のおかげで自分たちは明石で生活をさせてもらってんだと。今、泉さんが危ない時に、自分たちこそ立ち上がらなきゃって言って立ち上がってくれ、もうすごい署名が集まって。

田原 子どもたちまで動いたっていうね。

泉 賛同して一緒に加わったのは中高生ですよ。私が作った音楽無料スタジオがありまして、そこでライブをしていた子らが、「市長は自分たちのために勉強だけじゃなくて、音楽したかったら音楽を頑張れと言ってくれた」と。駅前で高校生がバンド活動やった時に警察が止めにきたら、私が体張って警察を説得したんだもん。「高校生が頑張っとんのやからさせたってくれ」と言うて。市長が常に、警察であろうが誰であろうが、市民の側に立って戦ってきたことを市民は知ってるから、自分たちで守ろうとしてくれたんでしょう。その意味では、市長はちっとも孤立無援じゃないんですよ。

田原 そういうことはね、他には全くないのよ。つまり、議員や職員から嫌われても、市民がもう抱きついてくれる。こんな例は全国に他にない。

泉 そこはほんと珍しくて、70歳とか80歳ぐらいの年配の女性が私を見つけたらほんまにハグして背中さすってくれるんですよ。よう頑張った言うて。市民からすると、市民のために戦い続けて、もうマスコミから撃たれまくって、議会からも追及されまくってるけど、そうは言いながらでも下がらずに市民のために次々と政策を形にしていったというイメージなんでしょうね。

田原 ほとんどの政治家はそういう市民なんていないと思ってる。だから、市民が抱きついた、これ見てみんな改めてびっくりする。そうなれば、自分たちもやってもいいんじゃないかと思わないんだろうか。

泉 立憲の泉健太代表も国民民主党の玉木雄一郎代表も、明石に視察に来たんですよ。明石の駅前を案内し、いつも通りの風景を見てもらったんだけど、彼ら2人が揃って言うのは「感動した」と。市長の顔見たら市民が続々とお礼を言いに来ると。「市長さん、ありがとうございます」って。道行く市民が次々にありがとうを言いにくる政治家、初めて見たって。そこやね、あの2人が私をだいぶ買ってくれているのは。

田原 市民と市長との新しい関係が生まれている？

泉 まさに市民の方を向いた政治に対して、市民がもう目覚め始めている状況、といっていいのかな。で、それと同じことが、今明石でないところの三田(さんだ)市にしても、所沢市（いずれも市長選で泉氏が推した候補が現職を破って当選）にしても起き始めている。

田原 どっちの市長選も、選挙の掲示板のポスターに泉さんの写真が入っているらしいね。泉さんが応援してる人だったら、ということで通っていってる状況かな。

泉 その意味で明石モデルのメッセージは広がっていってるとは思います。ちょっと手前味噌ですけど。

後継者には一切介入せず

田原 12年間務め切って、今は明石市政を後継者に委ねた。早すぎる、まだやってほしいという声も強かった。泉さんが辞めて別の市長になったら、また元に戻るということはないんですか。

泉 実は任期については、ずいぶん前から全国市長会の中心的な市長さんとか、いろんな人に相談してました。ほとんどの市長がいみじくも、「2期8年では足らんけど、3期12年でできない人は4期5期でもできないから、泉くん、目標設定は10年がいい。10年でやって3期12年で終わるのがいい」と言われていました。その時から3期12年で辞めると決めていたのです。私、ものすごく計画的で、藤井聡太名人みたいなもんだから（笑）、全部手を読んでから打っているんですよ。10年で明石市を変えて、残り2年で引き継いで、12年で卒業すると決め、その通りやったまでです。

田原 それは見事な引き際だ。でも、次の市長が元に戻すという危険性はないの？

泉 そこはよう戻らないです。2・4倍にした子ども予算を戻すなんて、相当なエネルギー使いますし、市民の支持があるのに戻せるわけがない。

もちろん私がちゃんとした人を選んで任せたつもりです。私がいなくても大丈夫な明石市を残す。そのためには私がいなくてもちゃんとする市長と、市長だけじゃなくて併せて市会議員も5人作ったんですよ。県会議員も1人作った。自薦他薦の公募して、70人の応募者の中から選んで、全員圧勝させて、市民の力を確認して、市民が何があったって守りきれるような状況を確認して退いたんです。

田原 後継の市長さんに対して泉さんは、こうしろああしろとは言わないの？

泉 ゼロゼロ。ほんまにゼロ。

田原 なんで言わないの？　助言も含め、言いたいことがあるものじゃないの？

泉　そこ、私が変わってるのかな。要は、卒業したんです。自分は12年間ベストを尽くして、12年でやり残したことはないです。やりきった。ほんまやりきったと思ってて、民主主義というものは民意を受けて選挙で選ばれた者が全責任を負うことを前提に、全権限を行使するのが道筋だと思っています。
また、私が市長時代に職員に対し「３つの発想の転換を」とずっと言ってきたんです。１つに、お上意識からの脱却、２つに横並び意識からの脱却、３つに前例主義からの脱却です。だから23年４月に市長を辞める時、「今これをもって私のことはすべて忘れてください。なぜなら、前例主義に対してきわめて厳しいことを言ってきた私自らが、前例になるのは見たくないし耐えられません」と。「もし明日新しい市長の方針が違うんだったら、絶対そっちを選んでください。私を気にして、私に従うのは前例主義です。私は終わりました。さようなら」と。

田原　見事な引き際だね、まさに。

田原総一朗の闘争

政治をお茶の間に持ち込んだ

泉 今度は私の方が聞かせてもらいます。テレビ東京を不本意な形で辞めたのに、執筆・言論を中心にジャーナリストとして成功されていた田原さんがなぜテレビの世界に舞い戻られたのですか。

田原 今のテレビ東京を辞めて10年、ぼくは必死で活字世界に生きてきたんです。原発を書き、電通を書き、角栄を書き、それにとどまらず経済、健康、生命、科学にまで手を伸ばし、時代の先端を捉えるノンフィクションものを書いてきたつもりです。いつのまにかその数が200冊になったわけだから大変なペースで仕事をしてきたことになる。ただ、それに疲れてきた。やはりテレビの世界が恋しくなったところもあった。

泉 やっぱり天職はテレビ人なんでしょうねぇ。それで87年から「朝まで生テレビ！」という深夜討論番組のコーディネーター役、89年4月からは「サンデープロジェクト」という時事報道番組の司会を担当された。

田原　ちょうど時代の転換期と重なったんだね。米ソ冷戦が終焉、日本も政治の55年体制と、金融バブルがともに崩壊する、という大きな節目を迎えていました。情報とその解説に対するニーズがかつてなく高まってた。それを欲しがっていたのは、一部インテリや社会の中枢部にいる人たちだけでなかったんだね。お茶の間の大衆こそが、世の中がどうなるかを知りたがっていたんです。それも新聞の難しい論説などからではなく、テレビという媒体を通じての、具体的な顔と声のある、わかりやすい論戦と時事解説に飢えていた。このニーズを先取りし、最もよく応えたのが「朝生」であり、「サンプロ」ですよね。

泉　「朝生」と同じく「サンデープロジェクト」も、ある種お化け番組でした。毎週日曜日の午前10時から11時40分までの生番組。政治家であれば自民党三役クラスや閣僚、野党党首を個別に呼んで、ギリギリ詰めたインタビューをされていました。

田原　永田町関係者がほとんど見てくれていた報道番組でした。ぼくにとっては、テレビジャーナリズムの神髄を極める上で「朝生」以上の大きな武器になったんです。

89年という年はすごい年でした。1月7日に昭和天皇が亡くなり、平成が始まった。2月にはリクルート事件でNTT前会長や文部事務次官経験者が逮捕された。番組開始と同時に竹下登首相がリクルート事件による混乱の責任を取って辞任を表明、4月からは消費税3％導入がスタートした。竹下後継選びでも自民党内はドタバタした。リクルートパージで後継と目されていた安倍晋太郎、宮澤喜一、渡辺美智雄らが身動きが取れず、宇野宗佑に首相の座をバトンタッチすることになったが、この宇野政権も女性問題、7月の参院選敗退であえなく退陣に至る。

国際情勢も激しく動いた。6月4日には天安門事件、11月9日には東西冷戦の象徴であったベルリンの壁が市民の手によって取り崩された。12月3日にはブッシュとゴルバチョフがマルタで会談、冷戦終結を宣言した。90年8月にはイラクがクウェートに侵攻、翌年に湾岸戦争が勃発し、国連安保理決議を受けた多国籍軍が結成される。

泉　目の回るような、ほんまにすごい年でした。

田原 国民の目は政治テーマだけでなく、政治を動かす人物たちにも向けられたんだね。永田町が劇場化され、主要なプレーヤーたる政治家がスター化していった。小沢一郎が作り上げた改革派vs守旧派の対立がクローズアップされ、その権力闘争の時々刻々が注目を浴びたんですよ。

泉 みんな、日曜日の朝、お茶の間でそのドラマの一端を見ていたわけですわ。

田原 その通りだと思う。「サンプロ」の最大の効能は何か、と問われれば、それはお茶の間に民主主義を持ち込んだことだとぼくは自負している。政治は夜動くとか、永田町の密室で取引される、というのが通説だったけど、それを打ち破ったと思うんですよね。明るいうちにテレビという公的媒体で堂々とオープンに議論することもできることを立証したつもりなの。

首切り田原から助言役に

泉 つまり、政治家の言動をテレビを通じて直接見ることで国民は政治家、政党を自らのスタンスで評価、選別する機会を持つことができるようになった。お茶の間と永田町を結ぶ回路ができた、ということですね。それにしても、田原さんのこの影響力、政治の世界から勧誘ありませんでしたか？

田原 実はあったの。ぼくに政治家になってくれという話はこの時期が最も多かった。滋賀県出身のぼくを武村正義の後継者にしようとか。自民党、社会党からもあった。一番熱心だったのは羽田孜さんだったかな。議員になってくれたらすぐに大臣にするなんていう話もあった。

泉 ここはお聞きしたいところですが、ちょっとは迷いました？　その道もありかな、くらいは考えたりしました？

田原 いや、考えない。なんで断ったかというと、政治の世界はね、勝つか負けるか。勝たなきゃダメなの。負けてどんな弁解したってダメ。勝つためにどうするか。田中角栄は金をばらまいた。中曽根康弘は圧力ね。どうやって勝つか。

泉 確かに選挙の結果が全てですから、その意味では厳しい世界です。

田原 そういう権力の世界には入りたくなかった。まあ、ぼくは勝つ自信がなかったということですよ（笑）。

泉 ジャーナリストの道を貫き通しはったということですね。だからこそ大きな影響力を発揮されていった。だって総理の首、何人斬りましたか？　海部俊樹、

田原　宮澤喜一、橋本龍太郎…？

泉　その3人です。

田原　どんなんでしたっけね。

泉　海部さんのケースは、当時の最大派閥竹下派（経世会）の丸抱え、いわゆる二重権力だったのを、ぼくがそれでいいのかってけしかけたんだ。加藤紘一、山崎拓、小泉純一郎のＹＫＫにね。「こんな傀儡政権が続くのはとんでもない。これでは自民党は駄目だともっとテレビでガンガン言ってくださいよ」とね。で、その3人が「サンプロ」（1990年8月18日放送）に出演し、「海部首相は操り人形だ」「経世会の独りよがりは許さない」と発言、「ＹＫＫが経世会批判」と大きく報道され、それがきっかけになって、結果的に海部さんの続投を許さない政治力学が生まれ、それが永田町を変えていくことになりました。宮澤さんの場合は、例の政治改革だ。ぼくがテレビのインタビューで「政治改革をやります」と宮澤さんに言わせ、「もしできなければ首相を辞める？」「いや、だってやるんですから。私は嘘をついたことがない」というやりとりを引き出して、これが致命傷になったんだね。

田原　その場面、記憶にありますね。

田原　橋本さんの場合は、減税を巡る失言を引き出した。橋本さんの態度が煮え切らなかったので、ぼくが恒久減税するかどうかで迫ったら橋本さんの言葉が続かなくなった。翌日の紙面は案の定「総理迷走」となった。財務省の榊原英資がぼくに電話してきて「田原さん、ジャーナリストとしては正解かもしれないが、あれでは橋本政権を倒すことになるよ」と言ってきた。榊原の言う通りになったんです。その後の参院選で自民は惨敗、橋本さんは退陣表明に追い込まれた。

泉　こう見てくると、まさに首切り田原ですね。

田原　ただね、ぼくはそういったやり方でいいのか、という疑問を抱き始めたの。大物政治家をテレビに出演させて、その言質の矛盾を捉えて、批判していく、場合によっては、失脚させていく。華々しく新聞は報じてくれるけど、本当にそれでいいのか、という思いが強くなった。確かに、ぼくは真剣勝負で3人の総理大臣を失脚させた。ただ、3人失脚させても日本の政治は一向に変わらないじゃないか。そこでぼくは考えを変えるわけだ。

泉　どんなふうにですか？

田原　歴代首相には「こういうことをやっていては駄目だ」と、直接言おうと思った。批判は直接本人にストレートにぶつける。ブラウン管越しに批判するだけで終わってはいけないと思ったんです。

泉　歴代首相への助言役になったと。

田原　ぼくに特段の学識、専門性があってアドバイスするわけではない。ぼくにあるのは、これまでのジャーナリスト生活で学んだこと、聞いたこと、そこから類推する問題意識と知恵と構想だ。それしかない。それでも聞いてくれる人には、とことん、心を込めて本音を語る。

泉　いつ頃から、そうならはったんですか？

田原　小渕恵三（首相　1998年7月〜2000年4月）さんの時からそう変えた。小渕さんの人柄というのもあったかもしれない。その後、森喜朗、小泉純一郎、安倍晋三、菅義偉、岸田文雄とね。

泉　どんな話をされる？

田原　ぼくにはジャーナリストとして3つの原則があるんです。日本に二度と戦争させない。言論の自由は身を挺して守る。そして、野党を強くする。要は政権交代可能なように日本の民主主義を強靭化することなんですよ。歴代首相と話す時も、問題意識はこの3つの原則が底流にある。戦争しないためには的確な外交・安保政策と、一定程度の経済的繁栄が必要だ。日米安保体制をどうするか。その中で日本の主体性をどう確保するのか。そこに焦点を絞って話すことが多いね。

泉　それにしても、分刻みのスケジュールの総理とどうアポイントを取るんですか？

田原　歴代首相には、官邸に電話を入れ、ぼくの方から会いたいと伝え、秘書官に日程を調整してもらうというのが常道だった。いつも差しで会うのが習い性だった。小泉さんや安倍さんは結構頻繁に会った。岸田さんになって、会うことは会うが頻度が落ちた。嶋田隆首席秘書官が代理で会うことが多い。

泉　あえて不躾なことをお聞きします。なぜ歴代首相は田原さんに会われる？なぜ、彼らがぼくに会ったか。もう高齢で影響力もないのにね。私心のない憂国の士として受け止めてくれていると、ぼくは思っています。首相との話は信

田原　義原則上オフレコだが、ぼくの長年のジャーナリスト経験に照らし、差し支えのないもの、必要なものはメディアにオープンにもしてきました。

第5章

このままでいいのか、日本の大メディア！

泉房穂、田原総一朗からの提言

取材力がなくなった大メディア

泉　ずっとメディアの世界で生きてこられた田原さんだからこそぶつけたいのが、今のメディアのあり方です。私もかつてはメディアの一員だったし、政治家になってからは徹底的に対峙してきました。

田原　ぼくは逆にメディアの立場で権力をチェックしてきたつもりです。

泉　特に今、かつて大マスコミと呼ばれた大手新聞、テレビ局の報道のありかたが本当にひどい。
例えば、埼玉県の子ども条例問題（23年10月／埼玉県議会で「子どもの留守番は放置で児童虐待だ」とする虐待禁止条例の改正案が自民党から提出され、批判を浴びて取り下げた一件）があったんですけど、私なんかからすると、そんなもん出た瞬間に撤回が見えてまんがな。一生懸命子育てで苦労していて、誰が子どもに留守番なんかさせたいもんか。留守番させたくないけど、ごめんねと思って留守番させているものに対して、「留守番は虐待、させるな」って、わけがわからん。こんなの絶対通ることはないんですよ。私はツイッター（現X）で参戦して否決を煽りました。これは絶対勝ち戦だと思ったのに、マスコミは記事が全部「本会議で可決の見通し」って書くんですよ。

田原 メディアがそうだから、埼玉の自民党県議もそれが通ると、ぎりぎりまでは思ってたんだね。

泉 だから一番わかってないのはマスコミなんですよ。マスコミは取材してるふりして取材してないんです。本当に子育てしてる人の気持ちを考えたら、こんな条例を通してはなるまいというマグマのようなエネルギーが噴き出すに決まっとるやん。それが本来のメディアの役割だったはずです。

田原 今のマスコミは取材力はないよ。市民の声を聞けっていうけどね、市民の声どうやって聞いたらいいかわからない。

泉 わかりますよ、そんなん。私は市長時代もそうですけど、一杯飲み屋をはしごするんです。最初は「一杯だけ」って言うんですよ。するとみんなくだけますやん。そこで飲みながら話を聞くと、「おまえな、ちょっとやりすぎやで」とかね、そういう本音が出てくる。昼間から酒飲んでるおっさん連中の悪口が一番勉強になります。おまえな、がんばっとるけどやりすぎや、もっと上手にやらな、市会議員かて面子あんねんから、上手にしたれよとか、いろんな声が入ってくる。

田原 それが明石市政に生きていたんだ。

泉 私は市民だけを頼りに市民だけを見てやった12年間、「敵は?」というと、市役所の職員と市議会とマスコミなんです。中でもこのマスコミが一番タチが悪くて、結局市議会とかが悪口言うと、それを喜んでマスコミが取り上げ、叩くんです。

田原 そこを聞きたい。なんでマスコミは市民の圧倒的支持を得ている泉さんの味方をしないんですか。

泉 反権力というやつでしょうか。特に『朝日新聞』なんかがそうなんですけど、要は自分たちのプライドですよ。反権力であるプライドの中で記事書いてるから、誰がなってても権力者である市長を叩くというエネルギーが働くんです。根拠があるかどうかは関係ない。

田原　理由はなく、泉さんを叩けば売れると思ったと。

泉　あとは、当然市役所も議会も反泉だから、事実とか事実じゃない関係なく、何個でもネタは上がってくる。

また、私も、就任してすぐにマスコミ関係の予算を一気に削減しましたから、それも一因だったでしょうね。

田原　マスコミ関係の予算ってどういうこと？

泉　あまり知られていませんが、自治体として各地方のラジオ・テレビのいくつかの枠を市民の税金で買っていたりもするんです。全国の都道府県の知事や市長は税金を使って、知事や市長の動向とか、誰も見ないような視聴率の低い番組をやっている。それを私はやめました。

さらに指定管理関係の予算も切っちゃったから、大変なネガティブキャンペーンでした。

※「指定管理」とは――地方公共団体が、公の施設の管理を行わせるために、営利企業、財団法人、ＮＰＯ法人、市民グループなどの団体に包括的に代行させることができる制度、またはその指定を受けた団体のこと

田原 指定管理の予算とは？

泉 つまり、新聞社などが外郭団体を作り、施設の運営を引き受けて、講演会とか様々なイベントを「指定管理」という仕組みで実施するんです。新聞社などが名前を貸す形で、地元の自治体からお金をもらって実施する形です。

それだけでなくマスコミは、地元の自治体と組むことによって観光とかイベントもやっている。でも新聞社などに市民の税金を使うのはおかしいから、普通に適正化したんです。普通は、マスコミに叩かれないために手打ちをしてるわけですよ。私は手打ちをせずに、ほんまに切ってしまったので、次々とマスコミから抗議の電話が来て、鳴りやみませんでした。

ＳＮＳの影響力が優る時代

田原 ただ、メディアは必要でしょ？　民主主義にとっては。

泉 かつてはメディアといえば新聞、テレビぐらいでしたけど、今は、ユーチューブもあるし、ＳＮＳもあるし、出版業界、新聞業界も今は幅広くなっていってる状況の中で、かなりメディアというものが多様化していっていますよね。

田原 今や新聞とかテレビよりも、ネット、あるいはSNSのほうがはるかにみんなに見られてる。それもわかっています。

それでもぼくは今でも「朝生」でテレビやっているんだよね。大マスコミの民放で。実は民法テレビは免許事業なの。政府から免許をもらっているから成立する。だから、「政府様々」なのよ。で、ぼくはよくね、その免許事業のテレビでどこまで政府とケンカできるか、その枠組みの中でのケンカが面白いと思っていて。

泉 私の場合、キャラクターが濃いのと最近もいろいろ発信をかなり強めのトーンでしてるので、とにかく大新聞と大テレビ局は私を使いにくいようです。

私に対してオファーが多いのは、免許事業じゃない出版業界。だから本がどんどん出るし、雑誌も『週刊プレイボーイ』の集英社とか、『FLASH』の光文社とか講談社の『週刊現代』と、もう続々と取材依頼が来ます。週刊誌系出版社は「泉、おもろい」。言うたら旬というか時の人というか、まさに時代を生きているので使いたいといった感じみたいです。

一方、テレビ局の人は私の顔を見ればすぐ、「選挙出ませんよね」「なんかしませんよね」「新党作らないですよね」って。先週だってテレビ局行ったら、いきなりスタジオで「泉さん、新党ほんまに作らないですよね」「もし作るんやったらちょっと困るんです」って言われて。

新聞社もそうです。先日も取材があって1時間半も喋ったけど、終わってから「まさか選挙出ないですよね」「立候補するかどうか、俺の自由やないか」って言ったら、「政治的な動きをされたら特集組めません」って。光文社や講談社は全然気にしないのに、新聞社は気にすんねんなぁ。

最初に結果ありきの番組作り

田原 メディアに関して言えば、こんなことがありました。小沢一郎という政治家が官僚主導の政治から政治主導へ変えようとした。その時、霞が関が猛反発し、時の法務検察当局が小沢さんの政治資金がらみの事件を立件(「陸山会事件」)、小沢さんが首相になりそびれたことがあった。2009年のことです。
その時は、大新聞がみんな小沢が悪いってバンバン書いたね。当局の言うがまま、どこまで独自の取材をしたのか。ぼくはある大新聞に「取材もしないで何で書くんだ」と聞いたくらい。ちゃんと取材をしていたのか、ぼくにはわからなかった。

泉　私のことで言えば、これまで何度も話に出た2019年の暴言騒動のことを、今になってよく関西のテレビ局の人間に白状されるんです。あの頃に明石の町に行って街頭インタビューしても、市民から泉さんの悪口が全然取れなかったと。明石の市民10人に聞いたら10人が私のことを守るから、しょうがないから「お願いします」と頼んで悪口言ってもろたって。それで放送では私のことを擁護する市民1人と、頼んで批判させた1人の、計2人のインタビューを流しましたって。結局、「こういう内容の放送をする」というのが最初に決まっていて、それに合わせたインタビューして、番組を作っているわけですよ。それは報道ですか？　っていう話です。

田原　予定調和で番組を作っているんだね。でも、本当は明石の市民はみんな泉さんを擁護したんだ。

泉　テレビ局の人が言ってましたわ。誰に聞いたって「泉さんを守る」って言うから、びっくりしたと。ほんまの状況はそうなのに、テレビ局は市民が私を批判しているように流すわけです。完全にテレビ局が私のネガティブキャンペーンを張る頭があるから、ろくでもない市長、パワハラ市長、暴言市長の、まさにそのイメージを作るために流したわけです。

明石市民のほとんどは「あの人は漁師の倅で口悪くて、一生懸命やっとって、言葉荒いだけや」と思ってるから。だから選挙で圧勝するんであって。マスコミと一部の学者とかインテリは私のことをいまだにいろいろと言うけど、実際違いますからね。

そういう意味ではマスコミというのは政治家を殺すぐらい、政治生命を絶つくらいの力がある。私も政治生命が絶たれてもおかしくなかったけれど、市民が守って戻してくれた。それで逆にキャラ立ちしたから、こういう本音トークでも持ちこたえてるんかなあと思います。

自分の目と耳を信用して

泉　私がメディアにお願いしたいのは、もっと国民の声を聞いて取材してよと。その立場から報道してよということです。多くの国民の声としては、生活大変ですと。これ以上言われても、子育ても大変なのに、扶養控除廃止なんてされたらやっていけませんと。せっかく期待したのにという普通の声、それをちゃんと報道せなあかんのに、マスコミはそっちじゃなくて、財源のことばっかり報道してて。

田原　結局、今のメディアは取材していると言うけれど、それは政治家、役人、御用達の学者ばっかりなんだよ。

泉　そうなんですよ。やっぱり私はどっちの立場に立つかが大きいと思います。私は国家権力や都道府県と対峙して、私が市民を背中にしながら体張って、「撃つなら俺を撃て！」とほんまに思ってるわけですよ。体を張って守ってるイメージなんです。その時にマスコミはこっち側におって、同じく市民の声を聞いて報じているとばかり思っているのに、よくよく見ていると向こう側におるわけですよ。国民の声を全然取材していない。

田原 結局、今のメディアに取材力がないんだよ。ただ、泉さんは国民の声を聞けというけど、国民の声は多種多様、難しいところもある。

泉 私は全くそうは思いませんね。国民の声を聞くのなんて、簡単ですよ。コロナの時なんか、商店街に出れば、そこにもう答が書いてありますやん。商店街の親父が客ガラガラ、テナント料、先月よう払われへん。今月払われへんかったら2か月滞納で明け渡しや。もう駄目やと。答えは「市長、2か月分のテナント料の確保」でしょう。

お客が来ないからパートさんに休んでもらっていると。パートさんは1人親家庭で、子どもがおる。パート代もらってないなら、「市長、腹減らしてる子どもおるで」っていうのが答やから。大学生がコロナで中退させられそう、親がリストラ食らった、本人もバイトができない状況でカネがないので払えないと。それはもう、答書いてあるやん。市民の日常に声が書いてあるんだから、それに耳を傾ければいいだけやん。それを形にすれば政治はできるんだから、メディアが国民や市民の声を聞くのが難しいと思わないですよ。

田原 こういう人はめったにいないよね。だいたい役所や議会、メディアと戦って失脚するか、迎合して志を捨ててしまう。こんなにずっと戦い続けられる人は、なかなかいない。

泉　かっこつけて言うと使命感、でも近いのは復讐心かなあ、やっぱりそこは。皆さんによく聞かれますよ、いったいいつ寝てるの？　って。そもそも、寝るの嫌いなんですよ。もったいないから。生きてるうちは働きたいんで。どうせ人間死ぬんやから、死んだらゆっくり寝れるやん。もちろん寝てますよ、寝るの好きじゃないだけで。夜中1時ぐらいに寝て6時ぐらいまで、5時間ぐらいですけど寝ています。
だから、イメージとしては、ずっと戦場にいるのと一緒ですわ。別の本にも書きましたが、高校時代、眠い目こすりながら東大を受けるために勉強していた時の心理は、海で溺れてる人をイメージして、今自分がここで眠ってしまったら溺れてる人救えないと。今自分がここで勉強して受験通って、東大に行って権力握って救うためにやってるんだから、私があきらめるってことは、溺れる人を見捨てることだと思ってきました。今もある種、苦しんでいる国民を見ていて、そういう思いはあります。

田原　そういう泉さんだからこそ、多くの国民が今の政治を立て直してほしい、と期待するんです。次の章ではこれからの泉さんのビジョンをじっくり聞きたい。
もちろん、出馬含め、日本の国政をどうするかについて。

第6章

未来へのロードマップ

――令和・泉版『国盗り物語』

ジャーナリスト田原が迫る泉房穂の国政へのビジョン

国盗りロードマップ①　まずは横展開

田原　明石市長を3期12年やられ、すべて燃焼し尽くされたと思うけど、泉さんはまだ60歳。どこから見ても引退というわけではないでしょう。まだまだできる。ある意味、国民があなたに期待をしている。今後について是非聞きたい。

泉　ぶっちゃけ言うけど、正直疲れました。10歳で社会を変えると心に誓って、こんな熱苦しいことを50年もやってきた。ちょっとゆっくりしようと思ったんです。でも無理なんです。そうするには今の国の政治がひどすぎるじゃないかと。この政治状況の中で自分がどういう役割を果たすべきなのか。それを考えています。

田原　実際問題としてどうするの？

泉　私自身は3つのことを考えています。横展開と縦展開と未来展開です。明石でやれたことは他の自治体でもできますよというのが横展開。政策も実行できるし、選挙だって明石と同様全政党が敵でも勝てますよ、と。それを証明したい。２つ目は縦展開で国の政治も変えたい。３つ目の未来展開は、10歳の時の自分に語るような形で、子どもたちに政治は汚いものではなく、夢であり未来であり可能性だ、志を持って頑張れ、と言ってやりたい。政治塾みたいなものを作り、50年後をにらんで新しいタイプの政治家を作る、そういう仕事はまだやれると思っているんです。

田原　まずは横展開について聞きたい。日本全国の市町村に泉モデル、明石モデルをどんな形で増やしていきますか。

泉　今すでに広がっています。子ども医療費の18歳まで無料化は、明石がやった時は誰もついてこなかったけど、２０２３年度には兵庫県内で13の自治体が方針転換しています。

なぜそうなったか。それは選挙です。新人候補が明石を真似ると言うと通る。現職も真似すると言わないと通らない。結局兵庫県内の首長選では、今やほとんどの候補者が明石を真似すると言ってるんです。それが今や東京にも飛び火しています。今、続々と子ども医療費の無料化などが全国展開されています。かつては、そんなことをする金がないって言ってたけど、本当は金もあったんですよ。

次にやりたかったのは選挙、一発で無所属市民派が選挙で通ることを証明したかった。

田原 選挙応援による横展開だよね。これもまあえらい成果を上げてますね。兵庫県三田市長選（23年7月23日投票）に始まって。

泉 ちゃんとした政治家を増やしていきたいんです。頭下げて政党にかつがれなくても、市民をまっすぐ見た者が、ちゃんと1人で通っていく、というストーリーを作り、それを見た者が続々とその後を追う、という展開を狙っている最中です。全国津々浦々でそういう人たちが地元の市長選に出たいと相談に来ています。そこをどう順々にやっていくかですね。実は、今に限らず、数年ぐらい前から関西エリアの首長選では、私の写真を使って選挙に勝った実例がいくつか起きていたんですよ。

田原 関西といえば維新が人気といいますが、それどころじゃない？

泉 維新にも勝ちます。

そもそも維新もその政策のほとんどは明石のパクリです。維新はもともと給食費の無償化には消極的で、吉村知事も反対と言ってたのに、明石がやったあと無償化に舵切ったし、所得無制限も橋下徹さん以下反対だったのに明石に追随してきた。要は、自民党との比較で言えば、維新のほうが生活が助かるから、自民党対維新では維新の勝ちだけど、もっと明石がいいよねってなるから、維新対明石は明石の勝ちなんです。カードとしては今は明石はジョーカーに近いんちゃうかな。

国盗りロードマップ②　なぜ所沢で勝てたか

田原　そこで聞きたい。所沢市長選（23年10月22日）の話です。これまでにも出てきた話だが、ここで詳しく分析したい。横展開の中でも最も成功したケースだと思うんですね。明石から遠く離れた埼玉の地で、泉さんが推した新人候補が、自公が推す4期目を目指す現職を破って大勝するという、大サプライズでした。

泉　所沢市長選は、私が全面的にかんで、選挙戦略もかなり私がやりました。結果は5万7000対4万1000で圧勝。読み通りの勝ちでした。象徴的だったのは、投票率が前回31％だったのが、今回38％と7ポイントも跳ね上がったんですよ。これ私が言い続けたんですよ。明石の選挙でも、投票に行かないと、いくら市民が応援してても勝てません。みんな家族や親戚中に呼びかけてくれ、と言ったんです。

田原　そもそも当選した小野塚勝俊さんとはどんな縁だったんですか。彼は日銀出身、埼玉8区から1期だけ民主党議員として国会議員（09年8月30日～12年11月16日）をしている。

泉　実は明石市長辞めてから20人ぐらいの人たちから連絡がありました。地元の市長選に立候補したい、という。そのうち一定数会っているんですけど、ほとんどが私の写真と名前が欲しいやつばっかりで、そんなの仮に通ってもろくな結果にならない。

田原　政治家としての志がない？

泉　よくマスコミが、失脚した政治家について、「当初は志があったけれども、途中でなくなった」というような解説書きますけど、私に言わせれば、あれ嘘ですよ。初めから志なんてないですよ、ほとんど誰も。手品みたいなもんで、鳩入ってないんだから。

田原 それで、小野塚さんには鳩がいたんですか。

泉 と、私は思っています。まず手紙をもらってやり取りをしまして、その中から一定数選んで、面談しました。

小野塚くんの場合もすぐにイエスは言わんのです。所沢に連れて行ってもらい、所沢を2日間、案内してもらい全部回りました。所沢の課題を1個1個聞いていていってね。例えば、小手指駅近くのPARCOが撤退するとか。そういうことも含めて……。

田原 リサーチしたんだ。

泉 もちろんです。街を回り、街の居酒屋で飯食って、話を聞くんです。ポイントは市民の意識です。そうこう調べているうちに、所沢は交通の便が良く、みんなも憧れて移り住んできたけれども、今は市に元気がなく、市民は現状の市政に非常に強い憤りを感じている、ということが段々わかってきた。

田原 なんで今の所沢は元気のない街になっちゃったの。

泉 例えば、所沢は人口が34万人もいるから中核市になって、いろんな権限が持てるのに、その移行手続きもしていない。だから保健所すら持っていない。人口30万人以上で保健所がないのは全国で所沢市だけなんですよ。そうするとコロナが蔓延した時に感染した家庭に食べ物を届ける、というようなフォローができんのですわ。

田原 なんで所沢は保健所を作らないんですか?

泉 やる気がないからですよ。保健所作ったら仕事は増えるし、お金もかかるし、リスクも伴うから、市役所職員はしないわけですよ。市役所職員というのは、現状維持が一番いいんですから、新しいことは、トップが「そうは言っても市民のためだからやろう」と言わない限りしません。

田原 そうか、やったら市の職員の仕事が増え、きつくなるからやりたくないんだ。

泉 仕事を増やしたい職員なんてほとんどいません。

田原 所沢をリサーチして問題点をある程度把握して、それでどういう戦略で選挙を戦おうとしたんですか。

泉 基本は2つだけです。1つは、完全無所属で、全ての推薦を断れと。政党だけじゃなくて業界団体の推薦も全部断れ。私が手伝うから市民だけで戦え、とね。

もう1つは、市長になったら市長就任した日に保健所を作ることを表明する。そのスケジュールも事前に明らかにする。ちゃんと有言実行で。私が何度も言ったのは、明石のやったことなんて、すぐやって、それを超えろと。私がやってほしいのは私の真似じゃなくて、明石以上の所沢を作ること。そのために私が応援するんだと。全国が所沢に続くために応援してるって言ってたら、所沢市民も結構泣いてましたよ。明石市長が所沢の町を全国一にしたるって言うてたって。

田原 所沢には何回ぐらい入ったの？

泉 選挙戦は事前に3回と本番3回の計6回。選挙4か月前の23年6月からやり始め、彼と戦略を作りました。私が選挙を手伝うと決めた8月段階には、もう勝ってました。あとはどう勝つかだけです。

田原 すでに勝っていたというのは？

泉 小野塚くんの立候補表明が9月13日になったのは、先に現職に立候補させた方がいいと思ったんです。その1週間後に追っかけて記者会見をして、「現職にこれ以上市政を任せてはいけない」と明言させた。所沢市民の気持ちの中には、中核市としての可能性があるのにそれを引き出すことのできない市政、自分たち市民を見てくれない市政に対して鬱憤が溜まっていますから、それでいいのか、もしかしたら今回の選挙でそれが変わるかもしれない、という構図が作れたら一発で勝ちです。

田原 その手応えというのはどうやってわかるんですか。その時点で勝つと思ったという、その手応えは。

泉 手応えは市民です。市民の声です。顔です。出口調査と一緒です。

田原 顔というのはね、例えば自民党の候補にみんな手を振るよね。でも投票には行かないでしょ。なんで泉さんが行くっていうと本当に行ってくれるんですか。

泉 そこはみんな表面の上っつらしか見てないからです。所沢だと例えば、先ほども触れたＰＡＲＣＯの撤退問題がある。買い物ができなくなるという声があるわけですよ。そういうことにどう応えるか。策を練るか、というのが大事なんです。つまり、地域における生活の変化や不満です。他の街だったら子ども医療費が18歳まで無料なのに、うちは違うとか、そういう裏の声をどう市民の顔の中から読み取っていくか、なんです。

田原 そんなのどう読むの？

泉 街頭演説してると、大体票を読めるようになるんです。手を振ってくれる人の数だけじゃなく、電車のホームで待ってる人とか、道行く人が、途中で立ち止まって聞くのか聞かないのか。聞いた後、ちょっと聞いて立ち去るのか、最後まで聞くのか、その比率なんですよ。それが出口調査なんですよ。私はある意味、日々出口調査しているんです。

国盗りロードマップ③　与野党vs市民だ

田原　所沢市長選と同時並行して国政補選もありましたね（23年10月22日　衆院長崎4区、参院徳島高知補選）。こちらの方はどう関与された？

泉　国政も徳島の参院補選の方は、広田一さんの応援で2回入って広田さんが勝ちました。長崎は立憲公認候補だから行きませんでした。私は無所属ですから。徳島も条件出しました。政党の幹部の人たちと並ぶんだったら応援演説しないと言いました。選挙で勝とうと思ったら、今は自民対立憲のような与野党対決構図では負けるんです。「市民」vs「古い政治」に持ち込んだ方が勝ちなんです。右か左かの対決構図ではなく、国民の生活に寄り添うかどうか、市民に近いか遠いかで争点化を図って、この横（イデオロギー的な左右）を縦（生活実感への距離感）に持っていったら勝つやろうと随分言いました。ただ、マスコミは相も変わらず、与野党対決って書く。物がわかってないんですよ。

田原 横ではなく縦の争点化ね。

泉 国民は自分たちの生活が大変なのに、これ以上税金取るんかと。負担増に対してイエスかノーかの選挙だったと思うんです。だからこそ、徳島は無所属で、そういう構図に持ち込んで圧勝した、と思います。長崎が与野党対決に突っ込んで負けるのは私からすれば当たり前だった。ほんまに大マスコミ、物わかってない。有力者にだけ取材してね。

田原 与野党の対決ではなくて、与党vs市民というのが実態だったと。

泉 与野党vs市民です。

田原 与野党と市民はどこが違うの？

泉 生活リアリティがあるか、ないかです。生活が大変であることをわかってるかどうかです。

田原 なんで与野党はわからないの、それ？

泉 それがわからないような生活を日々してるし、市民国民の方を見ていないからだと思いますよ。

田原 でもね、やっぱり選挙するっていうことは、一応市民のほうを向いてるつもりじゃない？

泉 市民はそれが嘘であることを見抜いてます。

田原 そこ、一番聞きたい。泉さんの「市民を見ている」と、自民党・野党の「市民を見ている」。どこが違うの？

泉 結局自民党は自分の集票組織の宗教団体や業界団体を見てるだけやし、立憲民主は連合や労組を見てるだけですよ。だから三田市長選も、現職には自公だけでなく、立憲も国民民主もついた。与野党相乗りの現職を、無名の新人が一瞬で倒した。

田原 一応ね、自民党にしても野党にしても市民を見ているつもりだと思います。

泉 市民と言うより組織の選挙民ですね。

田原 選挙運動を手伝ってくれるのは組織だけど、組織を通して市民を見ているんじゃない？

泉 私が言う市民というのは生活者のイメージです。

田原 なんで自民党や野党は、泉さんのように市民を見れないんだろうか。

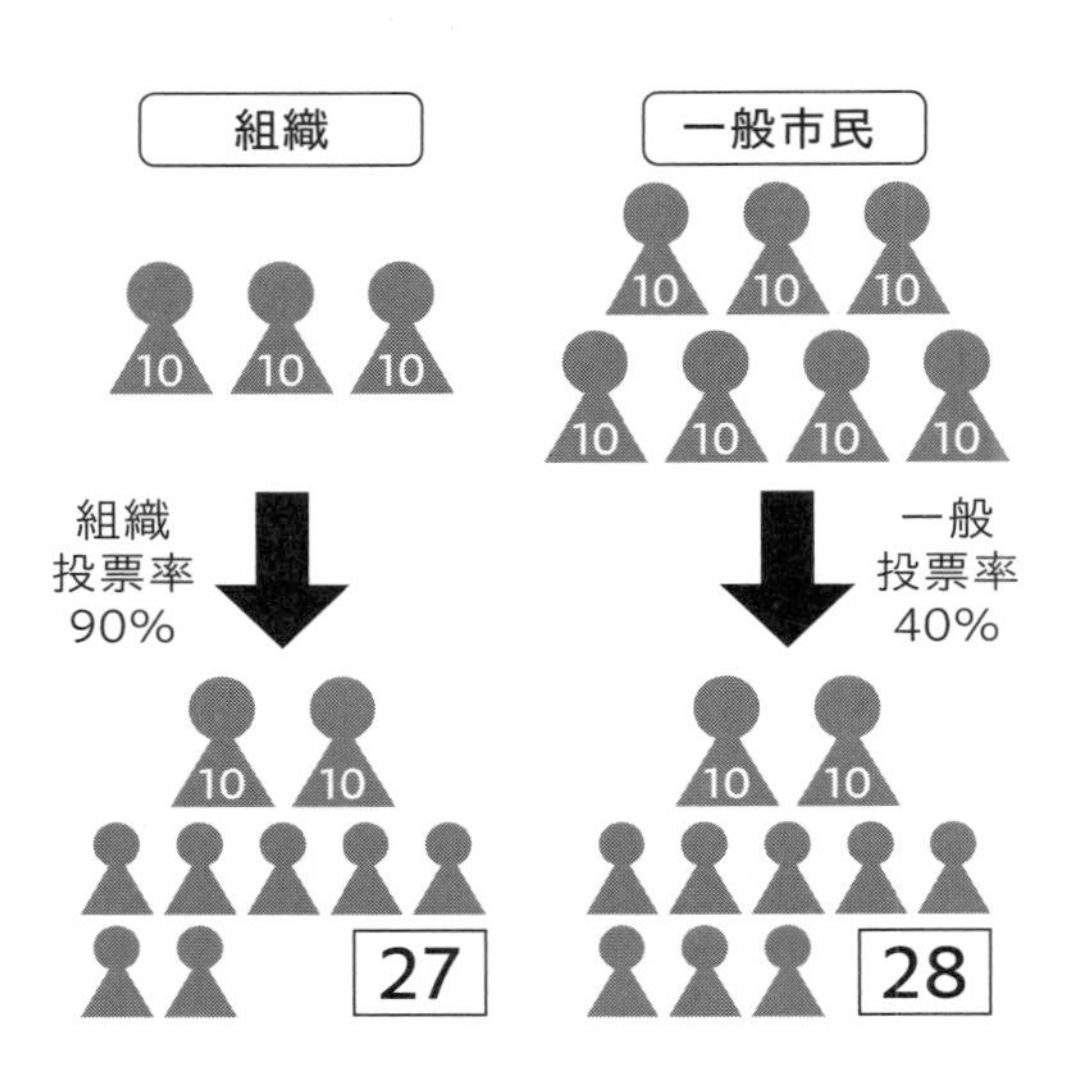

泉　不安なんちゃいますか。例えば、選挙の時って手振ってくれても投票には行かないんですよ。

例えば、有権者が100人いるとして、70人がこちらに手を振ってくれたが、残り30人は相手の組織票のほうに属しているとします。組織票の30人のうち9割が投票に行くとして、30×9割で向こうは27票になる。こちらは70人が手を振ってくれても、一般投票率が4割だとして70×4割でこちらは28票なんですよ。そうなると、27対28でギリギリです。私の12年前の最初の市長選が、まさにこれでした。投票率4割で僅差の69票差での勝利でした。

しかし、これが仮に一般投票率が3割

だったら……。そうなると70対30でも、30の組織票に寄った方が票読みが堅いわけです。多くの政治家は選挙になると、あてにならない一般の市民よりも、あてになる業界、宗教団体、労働組合といった組織を大事にしてしまう。それは人間の弱さです。そちらに行った方が選挙に勝ちやすいと思うから。

でも私はね、そうならば手を振ってくれる人を7割強にすればいいじゃないか、という発想するんです。6対4だと負ける。私は7対3にして勝ったわけです。

国盗りロードマップ④ 次は縦展開だ

田原 横展開が首長選応援だとすると、縦展開というのは、国政だよね。こっちはどうするの？ あちこちの政党から声が掛かっていることは聞いています。

泉 実際に多くの政党から声が掛かりました。党役員ポストなど破格の待遇を提示する党もあったんです。もうびっくりして、こんなに評価されてんの、と。

田原 まず、ストレートに聞きます。国会議員になるの？

泉　私が国会議員になるだけではしょうがないでしょう。私、映画好きなんで、その喩えで言いますと、明石市長というのは自主製作のようなものなんです。私が監督、脚本家、主演俳優も兼ねたからね。でもね、国政はとてもそうはいかない。複雑なんです。それに加え、私のようなキャラクターが主演をやる必要もないんです。よっぽど見栄えして、しかも、やりたい人が他にいっぱいいるんです。だから私は別の仕事です。できるものなら、脚本家になりたい。日本の政治が夜明けを迎えるシナリオを描き切りたい。そんなことを考えました。

田原　どんなシナリオ？

泉　横展開を広げていって、ある時点で一気に縦展開に持ち込んでいく。明石だけではなく他の自治体もどんどん市民派で勝利していくんです。実際にやってきました。それをもっともっと広げていく。そうすると、ある段階でオセロのようにひっくり返るんです。首長選挙は一次方程式で、国の選挙は連立方程式みたいなもんです。

田原　そう簡単ではないでしょう？

泉　国政は小選挙区で勝たなあかん、一騎討ちで。三田や所沢市長選で自公が組もうが、それに野党がくっつこうが、無所属市民派で勝てたことが大きいんです。これを全国289の小選挙区で全面展開できれば、衆院選で一瞬で多数を取れるんですよ。

田原 維新とかれいわ新選組はどうなの？

泉 維新は関西は勝てるけど、関西以外では小選挙区で勝てない。れいわや他のミニ政党も比例区なら何人か通るけど、一騎討ちでは勝てない。私が強いのは、一騎討ちに勝てることなんです。「市民」vs「市民以外」という戦いに持ち込むからです。国政も、「国民」vs「国民以外」という構図にうまく持ち込めれば、一瞬で雪崩を打って衆院の多数派が作れるんです。首班指名で総理を取れるんです。所沢市長選は私にとっては実験台でもあったんですね。ちゃんと小選挙区で勝てるかどうかの見極めも自分にあったということです。

田原 立憲民主党はどう？

泉 自民党と同じく、財務省の言いなりの立憲じゃ駄目なんですよ。市民、国民からすれば両党とも「ノー」なのよ。だからこそ、国民のために本気でやろうとする者が現れると一瞬でひっくり返ると私は思っていて、それをやらんと始まらんと思ってますね。正直。

田原 泉方式の市民派候補、289人も集まりますか？

泉　全小選挙区に候補者を用意すること自体は難しくない。勝てる状況までもっていけばね。候補者はいっぱいいるんですよ。維新であろうが、立憲であろうが、れいわであろうが、こっちが勝てると思った時には雪崩を打って来るから、一瞬で全部の小選挙区に候補者が揃えられるんです。そういった状況を作れるかどうかです。

田原　衆議院の多数を取れれば総理になれるもんね。

泉　パズルのような話で、連立方程式なんですよ。過半数じゃなくてもいいですよ。比較第一党になれれば、主導権を握って総理を取れるんですよ。参議院は要らないんです。もう1つのシナリオは、一気に行く政権交代じゃなくて、段階的に変える。連立が過半数を失った時にキャスティングボートを握り、条件付きで政権に入り、入った後で自民党を割っていく。それもゼロではないと思ってます。

田原　それをどのくらいで実現しようと思っていますか？

泉　本当に今の政治を変えるなら、ぼくのイメージでは総理は3人必要です。1人目は多分財務省と刺し違えることになるでしょう。ネガティブキャンペーンかスキャンダルで引きずりおろされる。既得権益に対する戦いを挑むには覚悟が必要です。ただ、そこで引きずりおろされても次の衆院選、参院選でも勝たなあかん。そうでないと政策を継続できません。衆院選、参院選各2回を勝ち続けることが肝要です。そこまでしないと政策転換はできません。総理を取るのはスタートであって、それこそ5年、7年ぐらいは政権を持ちこたえなあかんのです。

田原 それは細川護熙非自民連立政権、鳩山由紀夫政権を見ればわかるね。ところで、泉新党的なものを作ることも可能性はある？

泉 ありかなしかと言われれば、あり得るでしょう。ぶっちゃけ言うたら、今各党から私に対して一緒にやりたいとのオファーあるわけですよ。だから、いろんなチョイスありますわ。ただ、そこは中途半端にしたらあかん、しっかり脚本を作り込まなければ、と思っています。映画の例で言えば、中身のある作品ほど脚本がしっかりしている。逆に、いくら役者を揃えても、脚本がつまらなければ駄作になるんです。

大抵の政治家の本音は、名誉欲、権力欲ですよ。ポリシーは何だっていいわけ。総理になりたいだけの人間やから。そんな人間はどうぞなってくださいっていうのが私。総理になろうがなるまいが、私にとっては腹減らしてる子どもが飯をちゃんと食えてるのかがポイントやから。

田原 シナリオ書いた後どうするの？

泉 総監督になります。配役のキャスティングをして「日本の新しい政治」という実写版政治映画を作るんです。今のところは、1つひとつ着実に歩を進めているイメージはありますよ、自分の中では。

田原 いつから具体的に着手されるつもりですか？

泉 スタートは次の衆院選次第でしょう。それがいつあるかによるから、明確にはちょっとまだわからないところがあります。あとはキャスティングと連携の部分です。私の場合、今ことさら幅を広げようとしているところです。つまりキャスティングで言うと既存の俳優では足らんと思うてて、遠い昔だったら大島渚さんが「戦場のメリークリスマス」にビートたけしさんを抜擢したように、逆に今であれば、これまでの政治じゃない人ですね。そういったものも含めたキャスティングをしないと国民は沸かない。

田原 百田尚樹さんの新党（23年10月日本保守党結党）とかは？

泉 参政党も百田さんの新党も含めて、全体を包み込むぐらいの視野を持ってはいるつもりです。分けていってちっちゃくなってもダメだと思うので。

国盗りロードマップ⑤　首相の方がやりやすいかも

田原　泉さんの描く脚本では、実際の政策ではどんなことを考えていますか。

泉　頭でっかちじゃなくて、本当に生活感のある政治をするってことじゃないですか。岸田さんが23年秋の臨時国会で打ち出した経済対策も1年限りの減税でしょ。あとは選挙対策としての給付じゃないですか。こんなもんで安心生まれるわけないんですよ。的はずれです。

といっても、かたや立憲も、3万円のインフレ手当だっていうから、あほちゃうかと思って。そんな3万円の手当、誰が喜ぶんやと。そんなこともわからんで野党やってるのかと思ってね。

田原　岸田内閣の支持率も低調だが、野党も全滅状態。なんで野党の支持率上がらないんだろう。

泉　野党もいろいろですけど、まだまだ自民のほうがましですわ。岸田さんはどうかしてると思うけど、党としては自民のほうが幅広くて、一定程度状況に合わそうという感じがあるけど、野党系の立憲のほうが、ほんとに頭でっかちで、

田原 外れまくってるかなあと思いますね。

野党の議員から、「立憲の（代表の）泉を明石の泉に（すげ替えたい）」という声を聞いたことがある。そういった要望にどう応える？

泉 そこは衆院選の時期もあるし、25年の参院選も視野に入れた中で、どうするか、どうせんかです。やっぱり目標設定が大事ですね。私は結構せこい人間なんです。何がせこいかというと、設定する目標が、子どもの時やったら小学校区の野球大会で優勝なんですよ。中学校の時は柔道部で、目標は市内優勝です。私は明石で一番柔道強かったですが、県大会優勝とかインターハイは設定してないんです。

田原 意外と手堅い？

泉 自分に可能な目標を設定する人なんですよ。そういう意味では常に目標設定にはリアリティがある。

今は、田原さんはいろいろ言っていただきますけれども、国会議員になるとか、設定がせこすぎるし、総理大臣になるなんてもっとせこいんです。やっぱりそこは「国民を救う」なんですよ。どう救うか。そういう誰もが否定できない、大きな設定をするんです。

田原　せこいと言うけど、もしね、国民を救うんであれば、それこそ総理大臣になればいい。

泉　総理大臣になっても、持ちこたえられるかどうかの問題になるんです。

田原　違う。それはなってからの話だ。やっぱりね、国民を救う最高責任者になりたいか、なるべきか、なれるか、だとぼくは思う。泉さんはなるべき。

泉　国民が困ってるのをなんとかする責任はあると思っていて、そのための全力は尽くしたいですけど、実際にどんな役割を果たせるか、それが大切やと思っています。主演なのか、脚本家なのか。あるいは監督なのか、プロデューサーなのか、その役割の見極めが一番大切です。

田原　でも、泉さんは明石市長時代は主役だったじゃない。

泉　あれはさっきも言ったけど、自主上映だったんです。明石という土地だから成立した面もあった。関西だし、私の地元だったということです。
何度も例に出している19年の暴言騒動の受け止め方も、地元とそれ以外のところでは全く違いました。東京の友だちは「泉、お疲れさま。また今度飲もう」でした。露骨には言いませんが、明らかに「パワハラはダメだよね」「泉は終わったよね」なんですよ。でも関西の友だちは、「泉、大丈夫か、どうすんねん？」と心配している。一方、関西でも明石の人間は、あれを暴言と思っていない。「熱血市長、頑張れ」でした。さらに私が暮らす漁師町では、「何が問題かわかれへん」て（笑）。つまり問題だとすら思ってない。見事に4つに分かれました。全国になると、こうも評価が分かれるんです、

田原 でも、「明石の泉」から「日本の泉」を目指す必要があるんじゃないの？

泉 むしろ市長より総理大臣のほうが楽じゃないかと思います。市長のほうがしんどいですよ。市長はね、カネがしんどい。国だったら、国債を発行できます。市長なんてやりくりやりくりだけですよ。

田原 やりくりだけでは限界あるよね。

泉 市長だと経済回すにも、給料上げられない、税金や保険料下げられない。できることは負担軽減と地域商品券ぐらい。

つまり市長の場合には国と違って限界あるんですよ。限界があっても明石の経済は回ったわけだから、国なんかもっと楽なはずです。国債を発行して総合的対策ができますから。やることは多いようでも、やれることが多いから、国のほうがやりやすいと思いますね。

田原 泉さんは総理大臣になってこの国を変える自信持ってると思うよ。

泉　自信というか、傲慢かもしれないけど、私に総理させてもらったら国民救う自信はある。大丈夫。絶対救える。けど、問題は私が総理でい続けられるのかが大事なんですよ。このキャラクターですからね、すぐネガティブキャンペーン張られて、カチンときて暴言吐くから。関西やとセーフになっても、全国区だとアウトだから、そこはもっと言葉遣いを考えなあかん。

国盗りロードマップ⑥　錦の御旗は「子どもは未来」

田原　泉さんが国政に向かう錦の御旗は「国民を救う」ですね。それは具体的に言うとどんな政治ですか。

泉　何度も言いますが、リアリティのある政治です。リアリティというものは、遠くから見たような一律的な政治じゃないんです。実際、今の少子化対策も国民は「ノー」ですよ。
例えばプロポーズをしたいけれど、まだ大学行った時の奨学金返済が残っているし、身分不安定なアルバイトの立場だから、結婚を申し込めないと。そんな彼が彼女に対してプロポーズできる社会を作ることですよ。結婚しようよ、大丈夫だからと言えるような社会。結婚して子どもが1人おる。ひとりっ子やけどきょうだい作ってやりたい。「いや無理や、もう1人作ったって大学行かされへんやん」「そやな無理やな」って言ってる家庭が、「大丈夫やで、政治が変わって授業料も大丈夫みたいやん」「じゃあもう1人作るか」となる社会。実際、明石だから結婚した、明石だからもう1人産みましたって、みんなに言われます。明石はある意味、日本の中で1つの独立国のようなものを作ったわけですよ。

田原 岸田さんも異次元の少子化対策と打ち出すほど、少子化は喫緊の課題です。

泉 子どもは未来です。子どもと書いて「みらい」とルビ振ったらいい。子どもというものは経済も回しますから。社会全体の構造を変え、未来を応援する存在です。今の時代は公共事業投資をしたって投資効果が薄いんです。子ども政策を重点化すると、地元の経済が回り、人口が回復し、建設ラッシュが起こるんです。

田原 経済成長の一番のキーは、子ども?

泉 そうなんです。だから岸田総理は子ども予算を一気に3倍増にして、国民が驚くような、「えっ、そうなの？」「岸田、どうした？」ぐらいのことをやればいい。国政でも、子育て費と教育費を無償化すれば、税金や保険料はそのままでも可処分所得が増える。消費税は食料品を軽減税率にし、最低限の生活必需品には消費税がかからないようにする。こんなのたいした財源は要らないので、やったらいいだけなんです。

財務省の頭でっかちが、どうしても生真面目すぎるから、ようせんだけであって、それを掲げて、「総理になったらすぐやります」と言って政権取って、実際やればいいいんです。

田原 しかし、実際、人手や財源はどうなんですか？

泉 確かに公務員数は、日本は必ずしも多いわけじゃないです。ただ、しなくていい仕事に張り付けている。割り振りが間違ってるんです。

たとえば明石では、他市に例ない児童相談所を作り、そこの職員数は国の規準の2倍以上を配置しました。なぜか。児童相談所の目的は子どもの命を守るためですが、日本の国の規準守ってたら、子どもが死ぬ。だから実際に死んでるんです。何が間違ってるかいうたら、規準が間違ってる。家庭訪問できないような人数だから、できないんです。明石は家庭訪問できる人数を揃えてるから対応できる。

田原 職員の割り振りの問題だ。

泉 日本という国が、時代のニーズに合わせて変化してないだけやと思います。時代や状況に応じて人とカネを動かさなあかんのに、それをしていない。公務員総数と予算が足りないわけではないんです。使い道が違うだけや。明石は児相の人数を倍にしただけやない。コロナの時は保健所の担当職員5倍にしてるんですよ。それが政治なんです。私は政治をしてるんです。日本は政治をしていないんです。みんな漫然と過去の踏襲をしてるだけなんです。

田原 他の国はどうなの？

泉 例えばフランスは90年代に少子化が進んだ時に一気に舵を切りました。子ども予算を急増し、子ども手当を増やした。子どもが3人になると遊園地無料にしたり、3人子どもを産んだら老後の年金を増やしたりした。しかも、同じ相手の子でなくてもいいと。ぼくもこれにはびっくりして、人生ゲームみたいなもんとちゃうか、とも思ったんだけど、結果フランスの人口は一気にV字回復したわけですよ。それが政治というものではないかと思います。

田原 フランスの女性は子どもを産めば産むほど得で、日本の女性は損だというのは

泉　そういうことなんだ。それが政治ですよ。ハンガリーは大学卒業して5年以内に子どもを産んだら奨学金チャラ、3人産んだら結婚時のローンがチャラ、4人産んだら女性は一生所得税ゼロですよ。
時代状況に応じてお金の使い道を変えていくのが政治なのに、日本では財務省の下に総理大臣がいるから政治がない。私から言うたら、タチが悪いのは財務省じゃなくて、財務省にこびへつらっているマスコミと学者です。そして、それを政治家が指示できないのが情けない。

国盗りロードマップ⑦　財務省とどう戦う？

田原　泉さんの話聞いてると、財務省という役所は諸悪の根源ですか？

泉　いや、財務省の官僚が悪いわけではないんです。官僚というのはほっとくとこれまでやってきたことを守るし、トラブルは避けようとする。だから何も変わらない。政治家が指示すべきなんです。

明石の例で恐縮ですが「来年、医療費無料化するからな」「市営住宅は来年止めたらええから、俺もうハンコ押さん」「下水道予算も600億円も要らん、150億でええわ」って役人に指示をして、それに責任を持つのが政治家です。財政当局には「誰かに怒られたら市長の指示だと言え。俺がちゃんと説明する」と言えば、「わかりました、指示に従います」と言うに決まってる。財務省も同じですよ。官僚やから、ちゃんと総理大臣がこうだと方針を出せば従いますがな。従わんかったら、「どうしてもやりたくなかったら、したくないことさすの忍びないから、行きたい部署あるか?」と言うて退いてもらって、別の人間になってもらうだけであって、それが人事権ですよ。何のための人事権かというと、政策目的を実現するための人事権やと、私は思いますよ。

田原 要はスクラップアンドビルドですね。その場合、何をスクラップするんですか、国政レベルで?

泉 そんなもんいっぱいありますわ。日本の中央省庁なんて、他の国にないのいっぱいありますから。たとえば総務省の自治部門なんて地方自治だから他の国にありませんがな。文部科学省の仕事なんか他の国やったら地方自治の範囲でしょ、そんなのないですよ、経産省なんか他の国ないですよ、エネルギー以外

田原　は。日本の中央省庁って明治維新以来、要らんもんありすぎるから。随分とそれはドラスティックだね。２０００年にそれなりの省庁再編したけど、意味がなかった、というわけだ。

泉　あと私は都道府県は廃止派ですから。江戸から明治維新になった時、近代化の必要性から中間管理職の都道府県を作ったけど、過渡的なものであって、歴史的使命はもう終わっています。無益ではなく、むしろ有害だ。だから、市町村と都道府県を一体化、全国を人口20万から70万ぐらい３００ほどの自治体に再編して、そこを市民サービスとしての自治体にし、あとは国家という二層構造にすればいい。都道府県を順次市町村職員に移行していけば10年ぐらいの経過措置でできると思いますよ。

田原　道州制というわけじゃないんですか。

泉　道州制というのも、私はあまり意義を認めない。そもそも歴史的に見たって、ほとんどの国は二層構造です。つまり市民なり生活・暮らしを支える行政と、国家ですよ。中間が要るわけじゃないんです。中間が要るのは民族とか言語とか違う場合の米国の州とかね。そうじゃない日本においては都道府県はまったく不合理、無意味です。みんなが必要だと思い込んでいるだけなんです。県の職員が来月から何々市役所行くんや、それだけのことや。それをしていけば、一気に予算なんか生まれますよ。

田原 日本の財源が厳しいという話ばかりを聞いてきたせいか、泉さんのビジョンを聞くと希望が持てるね（笑）。

泉 ほんま、12年の市長経験で言うと、だいたい予算の半分は無駄金です。自治体は何をしてるかというと、国からせんでもいいような仕事押しつけられて、計画作ったり報告書作ったり。報告書作ったって誰も読んでないよ。誰も読まんような報告書作るために職員は働いてるだけ。そんな仕事はいらないから、私はどんどんやめさせたわけです。

本当にしなきゃいけない仕事は、今の半分もないと思う。そこを一気に整理すると、国民負担率5割の国でできないわけがない。今までの予算でできますよ。

国盗りロードマップ⑧　政治は情熱、責任感、判断力だ

田原　それにしてもなんで財務省はそんなに力があるの？

泉　お金を持ってるからです。どこもそうでしょう。それと、裸の王様と一緒で、みんなが財務省が正しいなり賢いと思い込んでるからでしょうねえ。財務省以外の中央省庁も、やっぱり財務省は優秀だと思ったり、特にマスコミ関係者が財務省に頭が上がらない。

田原　抵抗した人はいないの？　安倍さんは財務省とケンカしたんだよ。

泉　でも、財務省に勝てなかった。

田原　なぜ勝てなかった？

泉　財務省は有力政治家をいっぱい抱え込んでいるんですよ。野党でも結構抱え込まれてるから、自民党より立憲のほうが財務省寄りかもしれません。おまけに次の総理候補だと名前が挙がる人たちを次々と抱え込んでいて、その人たちが財務省の信者になっちゃってるから、かなり根深い。
あと財務省はある意味カネ絡みのスキャンダルも握っているから、財務省にケ

ンカ売った瞬間にネタを出されて、政治家みんなつぶされますからね。

田原 泉さんは嫌がらせされたことないの？　財務省から。

泉 私自身は今のところないですが、たとえ何か仕掛けてきたら財務省といえども、負けません。返り討ちにします。国民を救うには、そのぐらいの腹の括りが必要です。

田原 泉さん、本当にケンカが強い。いや好きなのかな（笑）。

泉 ケンカが好きってわけじゃないですけど、やっぱり決断をして、何か目的を達成するために障壁があるのは当たり前で、それは腹括ってやるだけで。責任は自分で覚悟を決めてやるだけだから。
あと、私はマックス・ウェーバーも好きで、彼は政治家に必要な資質は情熱、責任感、判断力だと言っている。本当にこの3つが政治家の要素なんですよ。そして今の政治に欠けているのもこの3つなんです。ほんまに本気でやる情熱持ってますかって。

田原 今、日本の政治家の多くはケンカ嫌いなんですよ。

泉 ケンカも嫌いなのに政治家やるなって私は思っているし、責任を取る気もないならやめとけと。政治家っちゅうのは、責任を取る前提で決断するんですよ。

決断するのは責任を取るからですよ。決断できないのは責任取りたくないからなんですよ。

あと前提としては、その手前には判断力も大事で、判断するためには時代を見て、国民の声を聞かないと判断できないですよね。

田原 決断が嫌いな典型が岸田さんかな。

泉 本当に対極的な、本来マックス・ウェーバー的な意味における政治家なる像の対極ですよ。責任取る気もない。情熱もない。判断も的確じゃない。そういう人が総理を続けられる社会のあり方に関して、さすがにまずいと国民は思い始めています。国民の世論が高まったら一瞬でその状況が変わります。私はその日が近いと信じています。

終章

去り際の美学

あえて聞く「朝生」いつまで？

泉　さて、そろそろ田原さんに真正面から聞かなあかんことあります。関口宏さんも（ＴＢＳの）「サンデーモーニング」の司会役をやめはって、昭和から第一線で活躍されてきたいろんな方々が勇退される中で、田原さんの「朝生」が最後の砦のような状況になってますけど、そこはどういうお気持ちなんですか。

田原　ぼくはね、あまり「去り際の美学」って考えてない。

泉　でも、人間っていつか死にますやんか。自分の人生で全地球が滅びるわけじゃない以上、自分がいなくなったあとに対して、どう責任を持つか、ということ考えますよね。

田原　もっと言うとね、後継者を決められない。もちろん、ある時期までは、後継者を作らなきゃいけないと思っていました。でも無理です。

泉　別の角度からお聞きします。田原さんご自身は、家事や子育てにはどの程度関わられましたか。あるいは関わられていないか。

田原　娘３人いますが、やっぱりね、子育ては女房に任せていた部分があります。最初の女房は子どもたちが小さい時に乳がんになって入退院を繰り返していましたので、もちろん私が家事・育児を背負った時期もありますが、それでもぼくの教育方針として子どもたちにあれしろこれしろは言っちゃいけない、子ども達の主体性を大事にしたいと思っていたので、子育ては放任主義でした。だから、「しっかりと子育てに関わってきた」と胸を張っては言えない。

泉　私はもともと家事や育児はやれるほうがやればいい、気づいたほうがやればいいというスタンスでやってきました。割合で言えば私のほうが多いくらい。朝5時半に子どもを起こしてプリントの丸付けして、電球が切れたら替え、シャンプー・リンスの詰め替えもほぼ私。当然ゴミ捨てもやっています。家事・育児に協力しているとか、手伝っているという感覚じゃないんです。気づいたら、動いてしまう。

そういうリアリティがあったから、市長になって最初の仕事は年末年始のゴミ収集の調整でしたし、子ども2人目からの保育料は無料にするとか、生理用品が必要な方に市から無料で提供するとか、「市長、なんで私たちの困っていることがわかるの⁉」と驚かれるような施策をやってこられたのも、私の生活実体験があるからなんですよ。

そこで思うのは、やはり田原さんは、政策ものでも、外交、防衛、エネルギー問題などに対する関心はものすごくお強いんだけど、生活、子育て、少子化というキーワードが今の国民の喫緊の関心なのに「朝生」ではあまり出ないテーマですよね。もちろん関心がないわけじゃないんだろうけど、その辺のテーマ設定が時代とズレているのではないかと。

かつては国家というものが重要だったけれど、そういったいわゆる大テーマ的な政治から、生活に近い身近なテーマへのニーズが高まってきている。

私も「朝生」に少し関わらせていただいて、立ち上げた頃の「朝生」は、ものすごく社会的影響力があり、ほんとに時代を大きく動かしたと思うんです。でもそこがいま変わってきますやんか。それなら番組を変えてもいいし、もちろん司会が代わるのもゼロじゃないでしょう。ないところから「朝生」作ったわけですから、自分で閉めてもいいし、変えてもいいんじゃないですかね、そこは。

田原 つまり終わらせる、もしくはリニューアルということですか？「朝生」は、深夜帯の番組では視聴率が1位なんですよ。視聴者が見てくれてるわけ。見てくれてる人がいる限りは続けたほうがいい。

泉　だけど、発足直後の「朝生」は視聴率のことを意識していたというよりも、原発問題を議論もせずにいるのはおかしいよね、賛否やろうよとか、天皇の戦争責任を今こそ問うべきだよねとかいう議論の中で、やっぱり一種ジャーナリズムの使命を果たそうというような気概でやってましたよね。数字を取らなあかん番組じゃなかったはずだと思うんです。

田原　前にも言ったと思うけど、深夜番組というのは条件が3つあるんですよね。有名タレントは出せない。長時間番組。しかも相当刺激が強い。最初から、他局ができないことをやろうとしたし、それから36年間続いてきた。そのコンセプトはまだまだ有効だとぼくは思っている。

泉　かつてはSNSもユーチューブもない時代ですから、「朝生」に唯一性があったけど、今はいろんなツールがある中で、「朝生」の果たす役割が違ってきてもいいとは思うんです。そこは変化とか切り口を変えるとか、どうなんですか？

田原　かつては、昭和天皇の戦争責任とか、原発で推進派と反対派の一番主力の人間を出して論争した。今であれば、岸田内閣の防衛費倍増とか子育てどうするかという問題がある。これを賛否分かれて討論させる意義はある。ぼくはテレビにこだわりたいんです。ユーチューブと違うのは、テレビって総務省の免許事業であること。政府が免許出してくれてるから成立するわけで、基本的に政府とケンカできない。その中で、政府とどこまでケンカするかってのが面白い。これも前に言ったけど森鷗外の「ドロップイン」という考えなんです。ケンカしても出ていかない。規制の中でやっていくってのがぼくのこだわりなんだね。

泉 やはり「朝生」は田原さん以外では番組終了のイメージなんですか。

田原 それは制作サイドが決めることであって、ぼくが決められることじゃない。もちろん、ぼくは死ぬまで続けたいと思っているけれど。

安倍晋三、石井紘基——去り際を自分で決められるとは限らない

泉 ドロップイン的なところにいてメディアの中で一定の役割を果たすのも大事だとは思いますけれど、逆に言えば田原さんはすごく著名で力ある方とも接する

機会多いわけですから、これまでの蓄積ふまえて、岸田総理にもっと方針転換を迫ったりとか、もっと役割があるようにも思います。

田原 もちろん、しています。彼には2つ要求してるんだ。1つは日米地位協定の見直しです。沖縄県民が辺野古の新基地建設に反対している。住民投票でも国政選挙でも明確な意思表示をしている。にもかかわらず、政府はこの民意を無視して全く顧みない。これはね、地位協定とこれに基づく日米合同委員会という組織があり、その決定事項に対しては総理大臣であっても無力だというおかしな制度になっているところから来ている。これを変えろと。2つ目は、原発問題です。ぼくは原発は反対じゃないけど、原発の出すゴミ、つまり核廃棄物をどうする、という対策が全くできてない。フィンランドではオンカロ（地中に大きなトンネルを掘り放射性廃棄物を封印する施設）で、10万年間保存する計画だが、日本はオンカロもない。岸田氏に少なくとも核廃棄物をどうするか、それをきちっと決めてから原発をどうするか議論すべきだと言っている。

泉 ……この本のテーマで言えば、岸田総理は去り際や引き際を考えていると思いますか？

田原 そんなの考えてないよ。どこまで続けられるか。その一点。

泉　政治家たるもの、天下国家とか国民のためにその地位を目指したと願いたいけれど、それを考えず保身のみに走ると逆に意外と強いんだなって、岸田総理を見ていると思いますね。内閣改造と言ったって派閥推薦の待機組をどんどん使うわけでしょう。まさに自らの権限を自らの延命という形でシンプルに使っています。

田原　延命になっているかな（笑）。

泉　なっているかどうかは疑問ですけど、政権を取って2年超えたわけだから長いほうです。

田原　でもね、今、野党がだらしない。さらに自民党もロクな奴いない。たぶん岸田氏は自分がやるしかないと思っている。だからぼくは彼にも言っています。あなたに問題いっぱいあるけど、野党に人材がいない。自民党には岸田さん倒そうという人が誰もいない。だから、問題あるけれど、頑張れと。頑張るなら、ぼくは応援するよと。だって、今もう誰もいないじゃない。

泉　もうみんな二世、三世で帯に短し襷に長しというか。昔は「三角大福」とか、いろいろ人材がいましたけれどね。

田原　今、一番の問題はね、国会議員たちが「国会議員になってよかった」と思っている。何をやるかじゃなくて、なれてよかったと思っている。泉さんのようにこれがやりたいという目的があって、その実現のためのビジョンを明確に持っている政治家は今の永田町にはいない。

泉　近年では安倍さんくらいですかね。安倍さんはやっぱりお祖父さんの岸さんとお母ちゃんの存在が大きいんでしょう。お父ちゃんがああいうキャラクターの中で、お祖父ちゃんに憧れ、お母ちゃんに褒められたいって心理も含めて、賛否はあるでしょうけれど自分なりに「歴史的な仕事を」という部分は強かった気がします。使命感もあったと思いますね。ただ、最後は志半ばで去ってしまった。

だから、本書のテーマの「去り際の美学」というと、どうしても本人の意思に基づいて去り際を迎えられると思いがちだけど、そうとも限らないものだなと思いますね。

田原　政治家は特にそうかもしれない。

泉　私からすると、自分にとって影響を受けた石井紘基さんと、明石市長時代に総理だった安倍さんの存在は大きくて、２人とも自らの意思でない形で去ってしまった。

２００２年の10月25日に恩師・石井さんが殺されて、通夜葬儀を手伝って、石井紘基さんがやりかけてた犯罪被害者の支援を引き継ぐ形で、翌年私は国会議員になりました。自分にとっての石井さんって大きな存在で、私も「去り際の美学」なんて言っていましたが、自ら去ろうと思わなくても去る時は一瞬で来るかもしれない。

安倍さんに関しても同じで、最近、安倍さんと近かった藤井聡さんとよく話をするのですが、「安倍さんはもう一度総理をするんだったら、次こそ財務省を抑えようと思っていた」という話を聞かされると、まだまだやりたい気持ちがあったまま命を終えてしまったのだろうと思います。政治家を生きていくんだったら、ある瞬間で終わりを迎えることはあり得るだろうという意味でもあります。

田原　泉さんにも殺害予告があったわけですからね。

泉　はい。これは自分の中ではものすごくリアリティがあって、私も明石市長最後の年なんかは殺害予告メールが１４０通来ています。「8月末までに辞めなかったら殺す」言われたけど、自分ではどこか達観していて、政治の道で腹括ってやってきた以上、私のことを殺したいと思う人がいるのは別におかしくないことだと。それも含めて自分の役割を全うするのかなとは思ってきました。

結果的には、殺されもせずに明石市長12年を自らの意思で区切りを作り、自分がいなくても大丈夫な体制を次の市長に残して、その時から一度も市役所に足運ばずに、ある意味完全に明石市政への関わりを終わらせることができた。人間はなかなか自分の意思できれいに終わらせることができないものだけど、明石市長は終わらせたかったので、そこはかなり意識しました。

自らの限界を知っていた小泉純一郎

田原 ぼくはね、田中角栄や中曽根康弘の去り際はよかったと思っています。

泉 それは総理の座を去る時のことですよね。

私の政治家の原点に田中角栄さんの存在があるんです。ロッキード選挙の時に、なんでこれほどマスコミに叩かれてんのに圧勝したかとびっくりして、電車に飛び乗って、田中角栄さんの後援会「越山会」の事務所がある長岡に行きました。

田原 1983年12月の衆議院選挙の時だね。選挙2か月前にロッキード事件の公判で田中角栄は有罪判決を受け、マスコミには不利だと言われ続けていたのに結果は過去最多得票で当選したんだ。

泉 20歳の時でしたけどね、忘れもしません。東京は小春日和だったんですけど新潟の長岡駅に着いたらもう雪が2メートルぐらい積もってて、東京とは全く別世界でした。

私が越山会の事務所に行ったら、「兄ちゃんよう遠くから来たな」って後援会の人たちが事務所に上げてくれて。結局、田中角栄さんには会えなかったんですけど、越山会の方々が「兄ちゃん、東京のやつらは先生のこと悪く言うけどな、わしらあの先生のおかげで子どもの命が助かってるんや」と。「トンネルを掘って、病院に行けるようになって」って、いかにあの人が地元のためにやってくれたか、みんな言うわけですよ。最後には「兄ちゃん、あんたも越山会に入れ!」とか言われて（笑）。

その時に、「ああ、政治の原点はマスコミじゃなくて庶民の心を摑むことだ」と。なんぼマスコミに叩かれても、本当に庶民のための政治を行っていれば、いざという時、庶民が守るんだと気がついた。つまりマスコミ受けじゃなくて、庶民の心を摑むことこそが政治家の肝だってことは、田中角栄さんから学んだつもりです。その経験が強烈にあって、以後、私の政治家の原点になりました。

田原 田中角栄と泉さんだと政治家としてのタイプが全然違うようにも感じるけど、確かに市民の心を摑むという点と、比類なきエネルギーの持ち主である点は共通している。

泉 ただ、結局田中角栄さんも病気やら何やらいろんな諸般の事情で失脚して、自分自身のしたいことをやり遂げずに終わったと思います。だから政治家の中で自らきれいに去れた人ってあんまりいないでしょう。

そういう意味で、小泉さんぐらいじゃないかな。小泉さんにしたら自分の限界をわかっていて引きはったから。

田原 確かにそうかもしれない。

泉 私が40歳で国会議員になった時の総理大臣が小泉さんで、小泉さんすごいなと思ったのは、去り際もそうだけど攻め際もすごかった。２００4年に成立した犯罪被害者等基本法、あれは石井紘基さんの後を受けて私が野党の責任者で、与党の責任者が今の外務大臣の上川陽子さんで、２人で調整して成立させたものなんですね。

あの時、小泉さんは犯罪被害者のご遺族と会って、皆さんに対して「やる」と誓った。その瞬間に、一瞬で政治は変わったんですよ。総理大臣の決断した瞬間に犯罪被害者の支援が始まって。

田原 それは被害者救済の？

泉 はい。あれは小泉さんの鶴の一声なんです。あの時、私は総理大臣には強い権限があると心底思ったんです。

その後の郵政解散の時も、当時の国会は「今こんなもんで解散したら自民党ボロ負けやで」っていう空気でした。民主党はみんな「解散してくれてラッキーやな」って。そう言うてたのに、小泉さんの「改めて国民に問いたい。それでも郵便局はこのままでいいんですか」みたいな、今から思うとわけわからん理屈なんですけど（笑）、総理大臣の迫力を以てすると世論が一瞬で変わり、自らの人事権を行使して大臣の首を切って解散し、そして公認権を使って続々と刺客を送り込んだ。もう政治のダイナミズムを感じましたよ。

だけど、その後、小泉さんはまだ続けられるのに総理の座を引きました。引い

田原　た後に、いわゆる黒幕にならずに。

泉　たぶん、なれなかったんでしょう。でしょうね。彼は駆け上がって総理にはなれたけど、総理を終わった後に、権力を維持することはできなかった。そこは彼自身、引き際をよく見極めていたと思います。私はある種、尊敬しています。権力を使い、権力を手放したっていう意味において。だから、小泉さんぐらいちゃうかな、きれいに去ったのは。中曽根さんもまあまあ上手やったかな。あとはみんなもうボロボロ。田中角栄さんもボロボロだったし。安倍さんは意に反して亡くなってるし。まあ、あとはそんなに大物政治家って感じの人もいないので、そのくらいということで（笑）。

ドロップインで戦い抜く

泉　田原さんは２０２４年４月15日には90歳になられる。どんな心境ですか？

田原　「終活」しろ、という人が多いが、ぼくはそんなことをしたくないね。「断捨離」にも興味がわかない。だいたい物に対して執着心がない。墓に入ろうが、散骨してそのへんに撒かれようがどうでもいい。精一杯生きることができれば
それで終わりだと思っています。

泉　「朝生」に話を戻すと、生放送中に散る、という選択肢はあるんですか?

田原　当然あります。「朝生」で議論している最中に、どうも田原がおかしいね、静かになった、と見てみると、いつの間にかこと切れていた。そういうのがぼくにとっての理想です。不思議なことなんだが、自分で死に方を決めてその通りにやってやるぞと思うと、もう死ぬことが楽しみになるんだね。別に待ち遠しいとは思わないが、少なくとも死ぬことが怖いという気持ちはない。

泉　田原さんはメディアの中枢のテレビという世界で生き抜いてきはって、そこを最後まで自分の戦場にしているのかな。

田原　泉さんと最大の違いはね、泉さんには見事な「去り際の美学」があるわけ。ぼくにはないの。死ぬまでやろうと思っている。殺されてもいいと思って「朝生」をやってきたんだから。いまぼくに対していろいろな声があるのはわかっていますが、炎上、クレーム大歓迎(笑)。むしろ嬉しいです。

泉　大抵の人は自分が続けたいと思っても続けられないわけですからね。第一人者

と言われる人たちにも旬があって、旬で終わるのが普通です。

田原 ぼくは旬がないから続いている。

泉 いやいや、ずっと旬でんがな。ずっと第一人者ですやん。そんな、なかなかないですよ。歌の世界だってサザンとユーミンくらいです、三世代を超えて歌っているのは。ジャーナリストで昭和、平成、令和の時代で流行っているのは田原さんくらいです。

田原 誰もぼくのことを第一人者とは思ってない。「朝生」は深夜でしょ、「クロスファイア」はBSです。二流なんです、要するに。世の中がぼくを二流だと思っているから、割と安心しているの。

泉 いやいや、だってツイッターのフォロワー100万超えでしょ。そんな他いませんやろ。俗にいう年齢からしても、いわゆる旧来型のジャーナリストで、世代を超えて継続して発信力、影響力を持ち続けてるの、田原さんくらいしかいないんちゃいますか?

田原 だから非常にぼくはね、ラッキーだと思ってる。

泉 そう考えると、本当に稀有な存在ですわ。人がなんと言おうと、そこで生きてきた人生を全うしてはるんやろね。あとは継ぐっていう発想がないんでしょうね、たぶん。私の場合、「明石市長」という役割を終え、次の市長にバトンタッチして、次のステージに進んだイメージです。でも、田原さんはご本人の田原総一朗なる生き物を生きてるんであって。そこは誰かに引き継げるものでもないという感覚なんですかね。

田原 昔、高市早苗さんが総務相の時に、場合によっては特定の番組に対して放送法上の停波の措置もあり得る、と答弁したことがありましたね（16年3月22日の衆院予算委で「（政治的に公平でない放送を繰り返す放送局に放送法や電波法の）適用はあり得ないとは申し上げられない」と答弁）。ぼくからすればとんでもないことを言った。ぼくはあの時は鳥越俊太郎さんたちと7、8人で反対を表明しました。ただ、多くの人たちはぼくらに同調しなかった。なんでだって聞いたら「ジャーナリストは中立でないといけない」と。ぼくはドロップインでもそこは譲れないんです。免許事業の中でも政府とケンカはできるんですよ。

泉 そこに戦争体験そのものも関係してるかもしれませんね。二度と戦争はいかんと。その根本部分が権力になびくような大メディアではいかん。本来の役割を果たす必要があるんだと。そこにこだわりがあるんかなっていう気がしますね。

田原　田中角栄がしょっちゅう言っていました。「戦争を知っているやつが世の中の中心である限り、日本は安全だ。戦争を知らないやつが出てきて日本の中核になった時が怖い」と。メディアも一緒です。ぼくは戦争を知る最後の世代ですよ。

泉　やっぱりそこが根っこにあるんですね。私も大変失礼な物言いしましたけど、なんか、もうここまできたら生放送中のブラウン管の中で人生を終えてほしいなという気がしてきました（笑）。

田原　ありがとう（笑）。納得してもらえましたか、あなたから引退通告を受けていたけど（笑）。

泉　「去り際の美学」というのは、きれいに辞めることだけではないということですよね。
そういう意味では、私、野球選手では江夏豊が大好きなんですよ。人間のプライドは変えられるというか。かつてはオールスターで9者連続三振とって、打てるもんなら打ってみろの剛速球のピッチャーだった江夏が、リリーフに変わって、変化球で緩い球でちゃんと勝っていく。その姿が大好きで。今回いろいろお話しさせていただく中で、田原さんの生き様と重なりました。なんというか、そのかっこ悪さを含めてかっこいい気がします。かっこ悪い生き方がかっこいいというか。

私が東大に退学届を出した時、当時の学部長に言われたように、「みっともなかろうが叩かれようがやることがある」という意味で、田原さんには周りから叩かれてもやっぱり役割がある。それこそ敗戦の時以降のメディアのあり方に対する一種の生き様としてドロップインで戦ってきて、叩かれてもつぶされず、最後の最後まで戦い続けるのも、1つの「去り際の美学」なんでしょうね。

おわりに

こういう形で田原総一朗さんとの対談が成立するとは思っていませんでした。私の週刊誌での田原批判にしっかり応えていただいた。ありがたいと思っています。

「去り際の美学」。言い得て妙なタイトルだと思っています。私は自分の人生はローリングストーンだと思っています。過去に何度も去り際、散り際を迎えました。振り返れば、私はいろんな形で辞めて、そこから転じてきた人生です。何かを捨てることによって、次の勝ちを取りにいった人生とも言えます。まったく違うことに挑戦して、目的を達成したら、そこからまた離れていく。

自分で数えてみたら、大きく8回捨てています。本書内で詳しく話していますが、概略は以下の通りです。まずは、21歳の時に東大に退学届を出しています。就職したNHKも1年で捨てました。その後パチンコ屋のモップかけを経てテレ朝の「朝生」スタッフ、政治家・石井紘基さんの秘書、弁護士、衆院議員1期（民主党）をやりました。

ただ、2005年の小泉純一郎政権の郵政解散で落選するんです。僅差だったので当時の民主党からすぐ公認内定が出たけど、その公認内定を蹴りました。「月70万円、年間840万円を出すから黙ってじっと待っとけ」と説得されましたが、「そんな金なんて一銭もいらんわ」と言って捨てて、明石で弁護士に戻りました。次に弁護士から市長になって12年。それも23年4月に辞職です。これが7つ目の去り際。そして、今は8つ目です。10歳で政治の道を志して半世紀が経ち、最後になるであろう人生をかけた挑戦とその去り際をどうするか、日々奮闘中です。

そんな中で飛び出てきたのが、昨年末の自民党のパーティー券キックバック裏金疑惑でした。これには腹が立ちました。政治家がマジメに政治をするに際して、自分の手元のお金など必要ないんです。政治にお金がかかるというのはウソなんです。国民のための政策を決断し、実行するのに裏金なんか全く必要ない。語る言葉さえあれば、マイク一本で選挙にも勝てる。少なくとも私は、そうやって勝ってきました。政治は金儲けや出世の手段じゃない。「国民を救う」のが政治です。

その意味では、この事件によって、「国民を救う」ための新しい政治の幕開けが前倒しされる可能性があります。それがせめてもの救いかもしれません。私もそこに参加できればと思っています。役者としてというより、脚本家として参加したい。今の全体状況のシチュエーションを考えていけば、ストーリーを作って、キャスティングやって、主演、助演決めながらやっていけば、一定程度のドラマを作れるかなという感じがしています。

田原さんの「去り際の美学」もたっぷり聞かせていただきました。私は20代の時、「朝生」のスタッフをたまたま務めたことがあり、その時の田原さんの眩しいばかりの姿が忘れられませんでした。今回の対談でその姿が彷彿と浮かんできました。今の田原さんもかつての田原さんの延長線上にあるな、との実感は得ることができました。それも収穫でした。

2024年3月　　泉　房穂

泉房穂（いずみ・ふさほ）

元明石市長、元衆議院議員、弁護士、社会福祉士。1963年、兵庫県明石市二見町生まれ。県立明石西高校、東京大学教育学部卒業。NHK、テレビ朝日のディレクター、石井紘基氏の秘書を経て、弁護士となり、2003年に衆議院議員に。その後、社会福祉士の資格も取り、2011年5月から2023年4月まで明石市長を3期務めた。著書に『日本が滅びる前に　明石モデルがひらく国家の未来』（集英社新書）、『社会の変え方　日本の政治をあきらめていたすべての人へ』（ライツ社）、『政治はケンカだ! 明石市長の12年』（講談社）等。

田原総一朗（たはら・そういちろう）

1934年、滋賀県生まれ。60年、早稲田大学卒業後、岩波映画製作所に入社。64年、東京12チャンネル（現テレビ東京）に開局とともに入社。77年にフリーに。テレビ朝日系『朝まで生テレビ!』『サンデープロジェクト』でテレビジャーナリズムの新しい地平を拓く。98年、戦後の放送ジャーナリスト1人を選ぶ城戸又一賞を受賞。早稲田大学特命教授を歴任する（2017年3月まで）。『朝まで生テレビ!』（テレビ朝日系）、『激論!クロスファイア』（BS朝日）の司会をはじめ、テレビ・ラジオの出演多数。また、『日本の戦争』（小学館）、『塀の上を走れ　田原総一朗自伝』（講談社）、『誰もが書かなかった日本の戦争』（ポプラ社）等、著書多数。

去り際の美学

2024年4月15日　初版第1刷発行

著　者　　泉 房穂　田原総一朗
発行者　　岩野裕一
発行所　　株式会社実業之日本社
住　所　〒107-0062　東京都港区南青山6-6-22　emergence 2
ＴＥＬ　03-6809-0473（編集）／03-6809-0495（販売）
https://www.j-n.co.jp/
印刷・製本　　大日本印刷株式会社

ブックデザイン　ソウルデザイン
編集協力　　倉重篤郎
撮　影　　山下　武
本文DTP　　株式会社 千秋社
校　正　　山本和之

ISBN978-4-408-65082-1（第二書籍）